Oscar classi

di Elio Vittorini

nella collezione Oscar

Le donne di Messina
Il garofano rosso
Piccola borghesia
Uomini e no

nella collezione I Meridiani

Le opere narrative - vol. I
Le opere narrative - vol. II

Elio Vittorini

UOMINI E NO

OSCAR MONDADORI

© 1965 Arnoldo Mondadori Editore S.p.A., Milano

I edizione Bompiani 1945
I edizione Oscar Mondadori ottobre 1965
I edizione Narratori italiani maggio 1966
I edizione Scrittori italiani e stranieri agosto 1972
I edizione Oscar classici moderni gennaio 1990

ISBN 978-88-04-49586-4

Questo volume è stato stampato
presso ELCOGRAF S.p.A.
Stabilimento - Cles (TN)
Stampato in Italia. Printed in Italy

Anno 2014 - Ristampa   30 31 32 33 34 35

www.librimondadori.it

Elio Vittorini

La vita

Elio Vittorini nasce, primogenito di quattro fratelli, il 23 luglio 1908 a Siracusa da Lucia Sgandurra e Sebastiano Vittorini. Il padre fa il capostazione ed egli trascorre la sua infanzia «in piccole stazioni ferroviarie con reti metalliche alle finestre e il deserto intorno», tornando nella casa materna di Siracusa solo per le vacanze. Elio, ragazzo irrequieto e ribelle, a tredici anni fugge di casa «per vedere il mondo» e, in quattro anni, ripete l'esperienza per tre volte, utilizzando i biglietti omaggio del padre ferroviere.

L'"avventura" entra a far parte del modo vittoriniano di conoscere e nel 1924 decide di non tornare più indietro, stabilendosi definitivamente nel Nord. La sua giovinezza d'altronde è già segnata dalla smania di evasione: la scuola tecnica per ragionieri di Siracusa, che egli frequenta senza alcun interesse, lo espelle per scarso rendimento e Vittorini viene chiamato in questura per via della sua amicizia con Alfonso Failla, il quale fa parte di un gruppo di anarchici siracusani in lotta contro il dilagare dello squadrismo fascista. Tra una fuga e l'altra conosce e si innamora di Rosa, sorella di Salvatore Quasimodo, che si reca spesso in casa di Elio, dove il padre, autore di poesie e di drammi, organizza recite e letture. Per potersi sposare subito, i due giovani architettano ancora una volta la fuga. Il matrimonio "riparatore" viene celebrato il 10 settembre 1927. La coppia si stabilisce in un primo tempo a Gorizia, ospite dell'ingegnere Vincenzo Quasimodo, un altro fratello di Rosa.

Elio, con l'aiuto del cognato, lavora come assistente in un'impresa edile e scrive i primi articoli su «La Stampa» grazie all'amicizia con Curzio Malaparte. Nello stesso anno scrive il racconto

Ritratto di re Gianpiero, uscito il 12 giugno sulla «Fiera letteraria», e si dedica alla lettura di Gide, Joyce e Kafka. Nell'agosto del 1928 nasce il primo figlio, che viene chiamato, in omaggio a Malaparte, Giusto Curzio. L'anno successivo comincia la collaborazione a «Solaria» con il racconto *Introduzione alla vita di Adolfo* e con una recensione a *Ritratto del mio paese* di G.B. Angioletti, e nel dicembre 1929, grazie a Giansiro Ferrata, direttore della rivista insieme con Alberto Carocci, realizza il sogno di vivere a Firenze, dove ha già tanti amici e parecchie collaborazioni. Nel 1930 la famiglia lo raggiunge, ospitata per qualche tempo nello studio dello zio di Elio, lo scultore Pasquale Sgandurra. Si trasferiscono poi in un appartamento di via della Carra 8 e, grazie all'interessamento di Bruno Fallaci, marito di Gianna Manzini, Elio è assunto come correttore di bozze a «La Nazione». La sera si incontra con gli amici alle Giubbe Rosse, punto d'incontro di tutti i letterati e artisti non solo fiorentini, o in casa di Drusilla Tanzi, moglie di Matteo Marangoni, chiamata da tutti "Mosca": la futura compagna di Eugenio Montale.

In questi anni nasce l'interesse di Vittorini per la narrativa americana ed egli inizia a studiare l'inglese. Traduce *Robinson Crusoe* e, successivamente, le opere di Lawrence, Poe, Saroyan, Faulkner, Powys, Steinbeck, Defoe, Caldwell, ecc. Nel 1931 inizia la collaborazione al «Bargello» e pubblica, per le edizioni di «Solaria», il suo primo libro di racconti, *Piccola borghesia*, dove l'autore manifesta quella coraggiosa spregiudicatezza che caratterizzerà ogni suo scritto e ogni sua impresa. L'anno successivo, su invito del settimanale di lettere, scienze e arti «L'Italia letteraria», fa un viaggio in Sardegna, per trarre da tale esperienza il diario da presentare al premio bandito dalla rivista e lo vince *ex aequo* con Virgilio Lilli. Dal primo *Quaderno sardo* nascerà poi il libro *Sardegna come un'infanzia* che sarà pubblicato nel 1936.

In questi anni Ferrata presenta a Elio la milanese Ginetta, moglie del commediografo Cesare Vico Lodovici. Tra i due si consolida una forte simpatia e Vittorini decide di trasferirsi da solo a Milano. Tornerà a casa nell'agosto del 1934, per la nascita del suo secondo figlio, Demetrio, tenuto a battesimo da Montale. Le sue critiche al Regime, apparse sul giornale fascista «Bargello», gli procurano una denuncia. Chiamato alla sede del Partito, egli consegna la tessera, ma continua la sua collaborazione con lo pseudonimo di Abulfede. Nel 1936 comincia la stesura di *Erica e i suoi fratelli*, che Vittorini interrompe in seguito alla guerra di Spagna e che rimarrà inedito fino al 1954 per lasciare spazio a *Conversazione in Sicilia*, pubblicato nel 1941 dall'editore Parenti con il titolo "provvisorio" di *Nome e lacrime*. Con quello definitivo, invece, il libro sarà edito da Bompiani nel corso dello stesso anno. Nel 1937 pubblica sul primo numero di «Letteratura» *Giochi di ragazzi*, un tentativo di prosecuzione del *Garofano rosso*.

Con Bilenchi e Pratolini, gli amici più cari di questi anni fiorentini, si accosta ai primi testi marxisti. Alla fine del 1938, con un incarico editoriale presso Bompiani, Vittorini si trasferisce con la famiglia a Milano, dove attraversa un lungo periodo di crisi per via del suo vecchio amore per Ginetta. Nel 1940 comincia il lavoro di preparazione dell'antologia *Americana*, che sarà pubblicata da Bompiani nell'aprile dell'anno successivo. Ma la censura fascista pone il veto alle note critiche di Vittorini e nel 1942 il volume verrà rimesso in vendita con le note quasi integralmente soppresse. La dichiarazione di guerra coincide con la frattura tra Elio e Rosina.

Il 26 luglio 1943, durante una riunione clandestina per mettere a punto un'edizione speciale dell'«Unità», lo scrittore viene arrestato e rimarrà nel carcere di San Vittore fino a settembre. Tornato libero, partecipa alla Resistenza, restando comunque nascosto nel Varesotto per via dell'ordine di Mussolini di spargli a vista. Nel febbraio 1944 si reca a Firenze per organizzare uno sciopero generale. Identificato dalla polizia tedesca, fugge precipitosamente e si ritira per un certo periodo in montagna. Qui, tra la primavera e l'autunno, scrive *Uomini e no*.

Finita la guerra, le lotte partigiane, il fascismo, Elio torna a Milano con Ginetta e chiede l'annullamento del suo precedente matrimonio. Nel 1945 dirige per alcuni mesi «l'Unità» di Milano e pubblica *Uomini e no*. In questo periodo dirige e collabora al «Politecnico», pubblicato tra il 1945 e il 1947, dove ha luogo un dibattito sul problema del rapporto tra politica e letteratura e sulla necessità per l'intellettuale di equilibrare il proprio impegno sociale senza intaccare la libertà creativa. Vittorini si iscrive al Partito Comunista, ma i rapporti si fanno presto difficili, tanto che tra la fine del 1946 e l'inizio del 1947 egli imbastisce una polemica, ospitata dai periodici «Rinascita» e «Politecnico», rispondendo alle velate accuse mosse da Togliatti e Alicata di battersi per un'arte arcadica in pieno clima di neorealismo.

Sempre nel 1947 esce *Il Sempione strizza l'occhio al Frejus* e l'anno successivo la Mondadori stampa *Il garofano rosso*, con una Prefazione che verrà tolta nelle edizioni successive. Il romanzo era apparso a puntate su «Solaria» nel 1933-34, ma la censura fascista lo aveva giudicato contrario «alla morale e al buon costume», negando il permesso per la pubblicazione in volume. Nella Prefazione, Vittorini chiarisce i limiti del realismo documentario e insiste, piuttosto, sui valori formali, sulla «ricerca di verità» e sulla «tensione mai esaurita di scoperta».

Nel 1949 pubblica *Le donne di Messina* ed esce la traduzione americana di *Conversazione in Sicilia*, con Prefazione di Hemingway. In dicembre inizia la stesura del romanzo *La garibaldina*. L'anno successivo Vittorini riprende la sua collaborazione a «La Stampa» con saggi sulla letteratura americana e, nel 1951, le colonne dello stesso giornale ospitano la sua polemica con Togliatti. Egli riprende la sua attività di collaboratore editoriale, dirigendo la collana "I gettoni" di Einaudi e segnalando nomi di giovani autori, destinati a diventare protagonisti della nostra letteratura: Arpino, Cassola, Calvino, Fenoglio, Lalla Romano, Mario Rigoni Stern e molti altri. Resterà comunque famoso anche il suo rifiuto di pubblicare, nel 1957, *Il gattopardo* di Tomasi di Lampedusa, giudicandolo infarcito della «vecchia letteratura consolatoria».

Nel 1952 inizia la stesura del romanzo *Le città del mondo*, che verrà pubblicato postumo. Nel 1955 muore il primogenito Giusto. Nel 1957 pubblica da Bompiani *Diario in pubblico*, dove riunisce gran parte dei suoi scritti critici, corredandoli di annotazioni sulla propria attività saggistica. Nel 1960 passa alla direzione della collana mondadoriana "Medusa" e nel 1961 si accosta al mondo del cinema, scrivendo la sceneggiatura del film, mai realizzato, *Le città del mondo*. Presumibilmente inizia anche la stesura del libro teorico *Le due tensioni*, pubblicato postumo.

Gli ultimi anni di attività culturale dello scrittore si svolgono intorno alla rivista «Il menabò», sulla quale egli affronta il problema del rapporto tra letteratura e industria e polemizza con la mentalità cosiddetta "umanistica", ossia quella dogmatica ed estranea allo spirito di ricerca e di sperimentazione. Nel 1963 Vittorini si ammala gravemente. Viene sottoposto a un primo intervento chirurgico, ma la malattia si riacutizzerà nell'estate del 1965. Malgrado la malattia, Vittorini ha assunto nel frattempo la direzione della collana "Nuovo Politecnico" di Einaudi. Il 12 febbraio 1966 muore nella sua casa milanese di viale Gorizia.

Le opere

Operatore culturale e traduttore, "agitatore di idee" e scrittore che non prescinde mai dalla "vita", Vittorini esordisce nella seconda metà degli anni Venti nel campo della pubblicistica, con articoli ideologico-politici in chiave malapartiana.

La prima comunione tra l'agitatore di idee e lo scrittore avviene nel racconto il *Ritratto di re Gianpiero*, pubblicato il 12 giugno 1927 sulla «Fiera letteraria» con presentazione di Enrico Falqui. Altri racconti verranno pubblicati in volume nel 1931 con il titolo *Piccola borghesia*. Il primo romanzo, *Il garofano rosso*, esce in volume nel 1948, a quindici anni di distanza dalla composizione. Una Prefazione dell'autore ne spiega la genesi e giustifica la ritardata edizione, dovuta soprattutto alle continue distrazioni di Vittorini, sempre preso da nuovi interessi. Questa sarà, in modo sempre più marcato, la caratteristica dominante nella fisionomia letteraria dello scrittore. Vittorini, infatti, parte sempre da un piccolo nucleo tematico, poiché scrive procedendo dal particolare al generale, ma accade spesso che tale progetto entri in crisi, mutando la fisionomia del libro che sta componendo o trasformandolo in un'opera incompiuta.

Lo scrittore dichiarò in un'intervista («La Fiera letteraria», 7 settembre 1952) che tra «*Il garofano rosso* e *Conversazione* vi sono stati, per esempio, due romanzi», lasciati da parte poi «a causa appunto di interruzioni impostemi dalle circostanze esterne». Uno di questi tentativi è *Giochi di ragazzi*, apparso in «Letteratura» nel gennaio del 1937 come una serie di brani collegati tra loro da brevi riassunti. L'altro è, invece, *Erica e i suoi fratelli*, che fu abbandonato in conseguenza dei fatti politici spagnoli del 1936, ma anche della ricerca vittoriniana di una nuova forma di scrittura, di una mediazione formale fra realtà e letteratura. L'autore cercava una «parola» che potesse trasformare la sostanza delle cose, avvalendosi di una vera e propria «fede in una magia».

La rinuncia a continuare *Erica* sigla la nascita di *Conversazione in Sicilia*, dove tensione lirico-mitica e tensione razionale e ideologica si fondono grazie alla dimensione allegorica, mettendo in risalto la vena poetica e musicale di Vittorini. Nel giugno 1945 esce *Uomini e no*, libro in cui si trova congiunta l'istanza storico-realistica e quella narrativa e linguistica. Vittorini si propone di «cercare in arte il progresso dell'umanità», in un mondo dove umili e potenti, essendo resi "assoluti" dall'autore, si affrontano alla pari, pur conservando tutte le loro connotazioni storiche. Da una parte c'è la società attuale dominata dal fascismo, che è il mondo negativo, il male; dall'altra c'è, invece, la resistenza a questo stato di cose fino al rischio della vita, che è garanzia di bene e di verità. Nel libro si narra la storia di Enne 2, un partigiano che vive la Resistenza a Milano nel 1944, alla ricerca di una vita autentica. Il suo impegno viene però vanificato dal rifiuto di Berta, alla quale è legato da un amore impossibile. Disperazione sociale ed esistenziale condurranno Enne 2 a un'ultima, suicida, impresa di guerra. Composto durante la Resistenza, nel momento cioè di intensa partecipazione alla lotta antifascista, il romanzo riflette l'insanabile rapporto tra umanità e violenza. Sei interventi dell'autore, segnalati in corsivo, impongono all'attenzione del lettore le due realtà in cui l'uomo è condannato a vivere, due punti di vista e una diversa dimensione dei fatti.

Considerato in un primo tempo da Vittorini il suo libro migliore, malgrado le riserve della critica, *Il Sempione strizza l'occhio al Frejus* racconta, in una dimensione da favola, una vicenda di vita familiare, di cui l'"io" narrante è partecipe. Lo scrittore cambierà parere più tardi, ritenendo il libro inferiore alla tensione raggiunta da *Conversazione in Sicilia*, in quanto privo di «una certa novità formale, una certa tensione oggettivistica, una certa carica informativa». Un progettato seguito del *Sempione*, annunciato sulla «Rassegna d'Italia» nel dicembre 1946 con il titolo *Il barbiere di Carlo Marx*, resterà un abbozzo.

La Sicilia come mondo, l'esemplarità della propria infanzia e la vita come ricerca, altrettanti temi topici dello scrittore, si trovano nel romanzo *Le donne di Messina*, anticipato con il titolo *Zio Agrippa passa in treno* nella «Rassegna d'Italia» del febbraio 1947. Scritto dal novembre 1946 al gennaio 1949, il libro è costruito in direzione epico-corale e segue quattro diversi registri narrativi: quello del narratore, quello diaristico degli abitanti del villaggio, quello dei viaggi in treno dello zio Agrippa e quello, infine, della diretta narrazione delle loro vicende. Nel 1960, mutata la realtà storico-sociale italiana, Vittorini apporterà vistose variazioni al testo, riscrivendone intere parti.

Con *La garibaldina*, l'autore siciliano torna al romanzo breve, omogeneo, privo delle complessità architettoniche che denunciano «sudori freddi di studio». Scritto tra il dicembre del 1949 e il maggio del 1950, il libro narra di un enigmatico viaggio in una Sicilia notturna e fiabesca. "La garibaldina" è una vecchia baronessa autoritaria e reazionaria ma capace di "aperture sociali" che la portano a disprezzare il governo, che si rivela incapae di eliminare le ingiustizie dilaganti.

L'ultimo romanzo di Vittorini, *Le città del mondo*, è stato scritto nel periodo 1952-1959. Lasciato incompiuto dopo i primi quaranta capitoli, è stato pubblicato postumo da Einaudi nel 1969. Con questo libro l'autore ritorna allo sperimentalismo della costruzione, dell'intreccio di piani narrativi e di linguaggi diversi, riprendendo lo schema a lui caro del "viaggio". Numerosi sono anche i protagonisti e gli ambienti sociali che s'incontrano sullo sfondo di una Sicilia favolosa e sconfinata. Fra deserti e città viaggiano personaggi come Rosario e il padre pastore, con le pecore, l'asino e il cane; Odeida, una vecchia prostituta, peregrina con il suo carro in compagnia della giovane Rea Silvia, fuggita da casa; Barracuda, il camionista dalla vita avventurosa e dai discorsi inconcludenti; Manilla, ragazza nobile e spregiudicata, che lascia alle sue suddite il privilegio di usare l'acqua profumata del suo bagno.

Il mito della felicità naturale, la coscienza del male, dell'ingiustizia che gravano sulla società, l'aspirazione a diventare autonomi dai condizionamenti della vita storica si riversano così sulle pagine di Vittorini, sempre teso a ridimensionare realisticamente la sua filosofia di vita e di scrittura. Le sue rinunce mostrano in eguale misura l'artificiosità della propria tensione narrativa e lo strazio del tentativo di ricomporre, almeno sulla carta, un mondo popolato di umanità e violenza, di "uomini e no".

La fortuna

La fortuna di Vittorini è sempre stata caratterizzata da due linee di tendenza: quella rivolta a giudicare la sua opera secondo un'ottica ideologizzata e quella attenta, invece, ai processi formativi, linguistici e letterari. I giudizi della critica, quindi, contengono spesso parole come «populismo» o «innovazione stilistica», entrambe forzate. Un'altra caratteristica vittoriniana, che certamente fece discutere, sta nella sua natura di progettista della letteratura, teso a misurare le innovazioni sulla scorta di un vigile interesse per le esperienze che egli andava realizzando nell'ambito artistico e sociale. Questo suo modo di "costruire" il romanzo provocò, ad esempio, la reazione della maggior parte della critica alla pubblicazione delle *Donne di Messina*, in cui si riscontravano artificiosità e forzature, tese a complicare le architetture del racconto, «a rendere difficile il facile, e affastellato ciò che poteva essere evidente» (Cecchi). Molti critici, inoltre, si dichiararono concordi nel rilevare in Vittorini una sorta di incapacità costituzionale a costruire un romanzo lungo e complesso. Il giudizio coincideva peraltro con le confessioni stesse dello scrittore, il quale dichiarava la sua avversione personale per il romanzo lungo, in quanto il sovraccarico di motivi e il loro intreccio contrastavano con la sua idea di modernità.

La sua deliberata trascuratezza, inoltre, per le regole canoniche della tradizione e della critica specialistica, non giovò certo alla fortuna dei suoi esordi. Salvo l'eccezione degli studiosi legati all'ambiente solariano, infatti, il suo debutto fu caratterizzato da un discreto silenzio, volto soprattutto a respingere il dichiarato sperimentalismo delle sue prove. Per i periodi successivi, non giovò altresì l'esperienza storico-sociale dell'autore che, per alcuni, si proiettava senza schermi sulla sua opera. In linea generale, occorre però dire che, per converso, Vittorini ha subito, soprattutto negli anni dopo la guerra, la sorte di rappresentare una vita esemplare e favolosa, di diventare una figura mitica, a prescindere dalla circolazione dei suoi testi. Alla mitizzazione di una biografia e alla sua trasformazione in vicenda esemplare contribuì, ancora una volta, lo stesso Vittorini, che puntò sulla sua vocazione di autodidatta, fondando la sua scrittura, più che sugli studi, sull'esperienza delle cose e del mondo. La fortuna della sua opera incontrò nuovi ostacoli con l'avvento del fascismo, la cui censura vietò, ad esempio, la circolazione di *Conversazione in Sicilia*, considerato unanimemente il capolavoro dell'autore. Fu la stessa sorte a imporre, più tardi, l'abolizione di tutte le note vittoriniane nella seconda edizione dell'antologia *Americana*.

Il grande successo di pubblico giunse nel dopoguerra, soprattutto dopo la pubblicazione di *Uomini e no*, che aveva per un verso valore di testimonianza e per l'altro dava una programmatica indicazione sui nuovi compiti della letteratura. Dopo la morte dello scrittore si registra un interesse sempre crescente per la sua opera, che esce dalle angustie delle "due tensioni" per farsi premonizione di disperazioni storiche attuali e profezia di modi stilistici vicini alle prospettive e agli interessi della nostra "neoavanguardia". Dopo tanti dubbi e discussioni, la risposta sulla sua fortuna sta oggi nella bibliografia critica alla sua opera, che è talmente vasta da porre a pieno diritto Vittorini tra le figure centrali del nostro Novecento letterario.

Bibliografia

Opere di Elio Vittorini

Piccola borghesia, Edizioni di Solaria, Firenze 1931; Mondadori, Milano 1953.

Viaggio in Sardegna. Nei Morlacchi, "Collezione di Letteratura", Parenti, Firenze 1936; Mondadori, Milano 1952, con il titolo *Sardegna come un'infanzia*.

La tragica vicenda di Carlo III, in collaborazione con Giansiro Ferrata, Mondadori, Milano 1939; poi, 1967, con il titolo *Sangue a Parma*.

Conversazione in Sicilia, Bompiani, Milano 1941 (il romanzo è apparso dapprima a puntate su «Letteratura» nel 1938-39; poi in volume, preceduto dal racconto *Nome e Lagrime*, Parenti, Firenze 1941; successivamente con il titolo originario da Bompiani. Altre edizioni: con fotografie di Luigi Crocenzi, Bompiani, Milano 1954; con Introduzione di Edoardo Sanguineti, Einaudi, Torino 1966; con commento scolastico a cura di Giovanni

Falaschi, Einaudi, Torino 1975; con disegni di Renato Guttuso, a cura di Sergio Pautasso, Rizzoli, Milano 1986).

Guttuso, Edizioni di Corrente, Milano 1942.

Americana, con Introduzione di Emilio Cecchi e illustrazioni fotografiche, Bompiani, Milano 1942; ristampa anastatica dell'edizione originale dell'antologia di cui fu impedita l'uscita dalla censura nel 1941, senza l'Introduzione di Cecchi e le fotografie, ma con la *Breve storia della letteratura americana* di Vittorini stesso, a cura di Sergio Pautasso, Bompiani, Milano 1968.

Uomini e no, Bompiani, Milano 1945; Mondadori, Milano 1966.

Il Sempione strizza l'occhio al Frejus, Bompiani, Milano 1947; Mondadori, Milano 1969.

Il garofano rosso, con una Prefazione dell'Autore, Mondadori, Milano 1948 (il romanzo era apparso a puntate su «Solaria» nel 1933-34, ma aveva incontrato difficoltà con la censura fascista a causa del contenuto di una puntata che era stato giudicato contrario «alla morale e al buon costume». Non avendo ottenuto il permesso per la pubblicazione in volume, è rimasto inedito fino al 1948).

Le donne di Messina, Bompiani, Milano 1949 (parte del romanzo è stata pubblicata dapprima su «La Rassegna d'Italia» nel 1947-48 con il titolo *Lo zio Agrippa passa in treno*; poi in volume con aggiunte e varianti da Bompiani nel 1949. Sempre da Bompiani, nel 1964, appare una nuova stesura con nuove varianti e la seconda parte interamente riscritta: questa edizione è da considerarsi definitiva). Ristampa: Einaudi, Torino 1980; con prefazione di Raffaele Crovi, UTET, Torino 2007.

Erica e i suoi fratelli. La garibaldina, Bompiani, Milano 1956 (la stesura di Erica risale al 1936: interrotta in seguito alla guerra di Spagna, e per lasciare spazio a *Conversazione in Sicilia*, è rimasta inedita fino al 1954, quando Vittorini l'ha pubblicata su «Nuovi Argomenti» con una *Lettera a Moravia e Carocci*. *La garibaldina* è apparso a puntate su «Il Ponte» nel 1950).

Diario in pubblico 1929-1956, Bompiani, Milano 1957; nuova edizione nel 1970 con una *Appendice 1957-1965*.

Storia di Renato Guttuso e nota congiunta sulla pittura contemporanea, Edizioni del Milione, Milano 1960.

EDIZIONI POSTUME

Le due tensioni, a cura di Dante Isella, Il Saggiatore, Milano 1967; nuova edizione 1977, con una Appendice di Enzo Golino.

Le città del mondo, con una Nota di Vito Camerano, Einaudi, Torino 1969.

Nome e lagrime e altri racconti, a cura di Raffaella Rodondi, Mondadori, Milano 1972.

Le opere narrative, a cura di Maria Corti, Cronologia e Note ai testi di Raffaella Rodondi, 2 voll., Mondadori, Milano 1974.

Le città del mondo. Una sceneggiatura, con una Nota di Nelo Risi, Einaudi, Torino 1975.

Il brigantino del Papa, a cura di Sergio Pautasso, Rizzoli, Milano 1985.

Opere di Elio Vittorini. Vol. 1. Articoli e interventi 1926-1937, a cura di Raffaella Rodondi, Einaudi, Torino, 2008.

Opere di Elio Vittorini. Vol. 2. Articoli e interventi 1938-1965, a cura di Raffaella Rodondi, Einaudi, Torino, 2008.

CARTEGGI

Gli anni del Politecnico 1945-1951, a cura di Carlo Minoia, Einaudi, Torino 1977.

I libri, la città, il mondo 1933-1943, a cura di Carlo Minoia, Einaudi, Torino 1985.

Lettere 1952-1955, a cura di Edoardo Esposito e Carlo Minoia, Einaudi, Torino 2006.

Elio Vittorini. Epistolario americano, a cura di Gianpiero Chirico, con prefazione di Raffaele Crovi, Lombardi, Palermo-Siracusa 2002. Il volume è la parziale pubblicazione del corposo carteggio tra Vittorini e l'editore e poeta statunitense James Laughlin (1914-1997).

COLLANE E RIVISTE

«Il Politecnico», rivista di cultura contemporanea diretta da Elio Vittorini e pubblicata dal settembre 1944 al dicembre 1947. Della rivista esistono una ristampa anastatica, Einaudi, Torino 1975, e l'Antologia a cura di Marco Forti e Sergio Pautasso, Lerici, Milano 1961; nuova edizione riveduta e corretta, BUR Rizzoli, Milano 1975.

"I gettoni", collezione di letteratura diretta da Elio Vittorini, Einaudi, Torino 1951-1958.

«Il Menabò di letteratura», diretto da Elio Vittorini e Italo Calvino, Einaudi, Torino 1959-1967.

Uomini e no

I. L'inverno del '44 è stato a Milano il più mite che si sia avuto da un quarto di secolo; nebbia quasi mai, neve mai, pioggia non più da novembre, e non una nuvola per mesi; tutto il giorno il sole. Spuntava il giorno e spuntava il sole; cadeva il giorno e se ne andava il sole. Il libraio ambulante di Porta Venezia diceva: «Questo è l'inverno più mite che abbiamo avuto da un quarto di secolo. È dal 1908 che non avevamo un inverno così mite».

«Dal 1908?» diceva l'uomo del posteggio biciclette. «Allora non è un quarto di secolo. Sono trentasei anni.»

«Bene» il libraio diceva. «Questo è l'inverno più mite che abbiamo avuto da trentasei anni. Dal 1908.»

Egli aveva perduto il suo banco nei giorni della distruzione di agosto; aveva lasciato la città; e non è ritornato a Porta Venezia che al principio di dicembre per poter vedere questo che vedeva: il più mite inverno di Milano dopo il 1908.

Splendeva il sole sulle macerie del '43; splendeva; ai Giardini, sugli alberi ignudi e sulle cancellate; ed era una mattina nell'inverno, era gennaio. Un uomo si fermò davanti al banco dei libri; portava una bicicletta per mano.

«Buongiorno» il libraio gli disse.

«Buongiorno.»

«Che inverno, eh!»

«Che inverno è?»

«È l'inverno più mite che abbiamo avuto da un quarto di secolo.»

Si avvicinò l'uomo del posteggio.

«Da un quarto di secolo?» disse. «O dal 1908?»

«Dal 1908» disse il libraio. «Dal 1908.»

II. L'uomo che si era fermato a guardare i libri guardò l'aria, il cielo, vide il sole sui tranvai, vide un tranvai 27 che ripartiva dalla fermata della Porta, e nella folla di cui era pieno vide, contro i vetri, il gomito e la spalla di una donna.

Un grande suono allora irruppe in lui; e spinse correndo la bicicletta, attraversò i binari, raggiunse la piazza. Il tranvai era già lontano, percoteva di squilli il suo binario già oltre la fermata successiva, ma egli montò sulla bicicletta e lo rincorse. Un pezzo corse, e mai rivide, nel nero della folla chiusa dentro il tranvai, il gomito e la spalla di una donna per i quali correva. Pure sapeva di non essersi sbagliato, perdurava in lui il grande suono, e da ogni giornata ch'era stata, settembre e ottobre, novembre e dicembre, uno splendore veniva a lui, e si univa a quello ch'era ora.

In piazza della Scala, la donna scese.

«Lo sapevo» le disse «ch'eri tu.»

Lei si appoggiò alla sua bicicletta.

«Era» egli le disse «come tu sei stata.»

Lei gli prese e baciò la mano, lasciò che parlasse.

«Correvo, ed era come sei stata. Correva il tram, ed era come sei stata.»

Questo in piazza della Scala.

4

Ma lui non sapeva che cosa intendesse dire. Le indicò le case, il sole, il teatro in macerie, e le disse:

«Hai mai veduto un inverno simile? È come tu sei stata.»

La tolse dalla folla, e la condusse fino al marciapiede di via Manzoni: non dalla parte del caffè Cova, dall'altra. «È l'inverno più splendido che abbiamo avuto da un mucchio d'anni» le disse.

«E sai da quando?» soggiunse. «Sai da quando?»

La fermò e di nuovo la guardò. «Dal 1908. Da quando tu sei nata.»

Lei era pallida, ma non diceva niente.

«Scusami» le disse. «Ma io ero con te quando sei nata. Non ero con te?»

«Sì» lei rispose.

«Sono stato sempre con te» egli le disse. «Non sono stato sempre con te?»

«Sì» lei rispose.

III. Ora camminavano sottobraccio.

L'uomo portava la bicicletta con la mano sinistra e lei, la donna, era nell'altra sua mano, camminava dentro di lui, non sulla strada.

«E allora?» egli le disse. «Sei contenta che ti abbia ritrovata?»

«Sì» lei rispose. Poi, d'un tratto, mutò; lo guardò non più pallida, e diventò rossa. «Come si dice» chiese «di una donna che va a letto con tutti gli uomini che le piacciono?»

«Si dice in molti modi.»

«Dinne uno.»

«Perché?»

«Perché è il modo in cui mi sento.»

Egli le prese e strinse forte la mano, gliela tenne stretta.

«Ma che intendi dire?»

«Non so. Era un pezzo che non mi accadeva.»

«Era da un pezzo? Era da quando?»

«Non dall'ultima volta che ti ho visto.»

«Tu chiami questo sentirsi a quel modo?»

«No. No. Tutto lo scorso inverno ci siamo visti, e mai lo sentivo. E tutto l'anno prima ci siamo visti, e mai l'ho sentito.»

«Pure l'hai sentito qualche altra volta.»

«Una volta tre anni fa. E sette anni fa un'altra volta.»

«È stato tre anni fa l'ultima volta?»

«Tre anni fa.»

«Non puoi dirmi com'è stato?»

«Com'è stato tre anni fa? Non posso.»

«Non puoi?» egli disse. «E ora è lo stesso?»

«Ora è di più» gli disse lei. «Non è mai stato com'è ora.» Abbassò la voce. «Vuoi prendermi?» gli chiese. «Prendimi e facciamola finita.»

«È di questo che hai voglia? Di farla finita?»

«Non so. Ho voglia che tu mi prenda.»

«Di questo ho voglia anch'io.»

«Allora portami in qualche posto e prendimi» disse lei.

IV. L'uomo salì sulla bicicletta e la tolse in canna: andarono verso Piazza Cavour.

«Dove mi porti?»

«Ti porto dove dormo.»

«È lontano?»

«In fondo a corso Sempione.»

Lei lo sentiva su una spalla, gli si avvicinò anche con la schiena.

«Che c'è?» egli chiese.

«Stavo pensando.»

«Pensando che cosa?»

«Quest'inverno e tutti gli altri inverni. Tutto il tempo di noi.»

«E non lo abbiamo con noi? Non è perduto.»

Di sotto al cappello di lei, sopra il bavero di pelliccia, c'erano i suoi capelli. Egli li prese tra i denti, e già erano oltre via Pontaccio, erano lungo il Parco, splendeva sul terreno bianco l'inverno, nella solitudine dei grandi alberi spogli.

«Che inverno!» egli esclamò.

«È davvero come dicono?» chiese lei.

«Sì» egli disse. «Dal 1908.»

«Da quando sono nata?»

«Dall'inverno che sei nata.»

«Perché sai quando sono nata?»

«Non me l'hai detto tu? Tu me l'hai detto.»

«Mi dispiace di avertelo detto.»

«Non devi dispiacerti. Perché devi dispiacerti?»

«È per il modo in cui mi sento oggi.»

«Non ti sentivi come oggi quando me l'hai detto?»

«Mi sentivo in quell'altro modo. Mi sentivo contenta di essere più vecchia di te.»

«Io amo che tu sia più vecchia di me.»

«Ma io oggi vorrei essere più giovane.»

«E non sei anche più giovane? Sei anche più giovane.»

«Vorrei avere dieci anni di meno.»

«E non è anche così? È anche di più di così. Sei anche una bambina.»

«Vorrei che tu fossi molto più vecchio di me.»

«Lo sono. Lo sono. Sono anche tuo padre e anche tuo nonno.»

«Tu non hai un giorno di più di quello che hai.»

«Io ho un secolo di più.»

«No» lei disse.

«Perché no?» egli disse. «Io ho veduto l'inverno in cui tu sei nata.»

«No» lei disse. «Sono stata io a farti nascere.»

«Ma io ho veduto l'inverno in cui sei nata.»

«Tu sei nato perché io l'ho voluto» disse lei. «Io sono nata» disse «e subito ho voluto che anche tu ci fossi. Non volevo essere al mondo senza che tu ci fossi.»

«Tu sei anche mia madre» egli disse.

«Ma ora facciamo presto» disse lei.

«Sì Berta» egli disse.

V. Lei per la prima volta si voltò, da quando era risalita in canna. Si voltò a guardarlo.

«Puoi chiamarmi Berta?»

«Oh, Berta! Perché non potrei chiamarti Berta? Tu sei Berta.»

«E tu?» Berta chiese. «Tu chi sei?»

«Non sai più chi sono?»

«Come ti chiami ora?»

«Come sempre. Ho il mio nome e il mio cognome.»

«Come ti chiamano ora i tuoi compagni?»

«Ora non ho un vero e proprio nome.»

«Dimmi come ti chiamano.»

«Enne 2.»

«Enne 2? Non posso chiamarti Enne 2.»

«Te l'ho detto. Non è un vero e proprio nome.»

«Prima avevi un vero e proprio nome.»

«Prima facevo un altro lavoro.»

«Perché hai cambiato lavoro?»

«Vorresti che non avessi cambiato lavoro?»

«Ho paura di quest'altro lavoro. Tu sei stato di nuovo con lo spettro...»

«Con lo spettro?»

«Con lo spettro che è nella nostra casa. Quel vestito appeso dietro la porta...»

VI. Qui Enne 2 frenò, strisciò col piede in terra, e si fermò. Erano a metà di corso Sempione.

«Scendi» le disse.

«Che succede?» disse Berta. «Siamo arrivati?»

«Non siamo arrivati» Enne 2 rispose.

Guardava davanti a sé, di sopra a lei ancora seduta sulla canna; e allora lei pure guardò, vide lo splendore invernale tra le due spoglie file di alberi che mai terminavano, e nella tersa luce, a duecento metri, un camion fermo col vetro che luccicava, e uomini neri attraverso la strada, anch'essi fermi, con al braccio bastoni che anch'essi luccicavano.

«C'è un rastrellamento» disse Enne 2.

Berta saltò giù.

«No, risali» Enne 2 le disse.

Uomini venivano, dalla linea lontana, lungo le due file dei grandi alberi, e portavano puntati in giù quegli strani bastoni che luccicavano. Berta capì che quei bastoni erano fucili, e vide uno con un grande cappello dalle larghe falde venire al centro dell'asfalto, al centro del luminoso mattino, voltandosi ad ogni passo e agitando alto in pugno, di sopra al capo, un lungo scudiscio nero che serpeggiava fischiando. L'uomo gridava qualcosa agli altri, gesticolava, agitando alto il suo scudiscio nero; e Berta risalì sulla canna.

«Andiamo avanti fino all'angolo del caseggiato» Enne 2 le disse. «Poi voltiamo dentro la prima strada e torniamo indietro.»

Andava avanti senza affrettarsi; e tutto il corso Sempione, salvo per quegli uomini neri, era deserto sotto il sole dell'inverno, coi negozi chiusi, i caffè chiusi, le finestre serrate, e le macerie spente, mute. Misero trenta lunghi secondi a raggiungere l'angolo, voltarono, misero altri cinque secondi per entrare nella via laterale, e l'uomo dal nero scudiscio gridò.

«Non temere» Enne 2 le disse. «Non aver paura se sparano.»

Dentro la strada egli accelerò, fu presto all'altro angolo, e pareva che in tutta la città vi fosse soltanto il suono rotto, quasi d'ululo, dell'uomo dal nero scudiscio che gridava.

Lontano, in fondo alla laterale, c'erano uomini fermi con fucili come attraverso il corso. In fondo alla parallela del corso, dove svoltarono per tornare indietro, c'erano pure uomini fermi con fucili. Ma non venne nessuno sparo, né si udivano correre i tranvai, non si udiva altro suono che la rotta voce di quel muezzin, quell'uomo dallo scudiscio nero, e ormai morente nella distanza.

«Quell'uomo è Cane Nero» disse Enne 2. «L'hai veduto?»

«Sì» Berta disse. «Ma anche di qui è sbarrato.»

«Non importa» disse Enne 2. «Ora attraversiamo di nuovo il corso, e poi andiamo in una casa.»

«In una casa tua?»

«In una casa di amici. In un rifugio.»

Egli pedalava forte e di nuovo svoltarono, attraversarono il corso a testa china, entrarono nella laterale dirimpetto.

Berta non guardò dove Enne 2 la portasse.

VII. Aprì, alta e magra, una donna dai capelli bianchi.

«Ciao, Selva» egli le disse.

«Ciao» disse la bella vecchia. «E chi mi porti? È la tua compagna?»

«È una compagna» egli rispose.

«Peccato!» disse la vecchia. «Egli è sempre con le compagne, ma mai l'ho veduto con la sua compagna. Non ha una donna, quest'uomo? Non ha una compagna?»

Berta guardò Enne 2, ma era come disorientata, e non rispondeva nulla, rimaneva muta.

«Avanti, avanti» continuò la bella vecchia. «Avete bisogno che vi lasci soli? Dovete parlare? I miei ragazzi sono via tutti e due, e io tra poco parto. Potete fermarvi anche fino a domani. Dovete parlare?»

«Siamo capitati in un rastrellamento, e siamo venuti su» rispose Enne 2.

«Infatti ho sentito Cane Nero» la vecchia disse. «Ma è un peccato» soggiunse.

«Che cosa è un peccato?»

«È un peccato ch'essa non sia la tua compagna.»

E la vecchia guardava ardentemente Berta.

Disse anche: «Mi piace sai».

«Ti piace?» disse Enne 2. «Anche a me piace.» E quasi rideva. «È una buona compagna.»

«Ma io dico come donna» gridò la bella vecchia. «Tu non ci guardi mai come donne? Dovresti guardarci anche come donne.»

Guardava ardentemente Berta, e Berta era seria sotto il suo sguardo; diventava sempre più seria; e non parlava, mai rispondeva, diventava come se non avesse mai, in vita sua, parlato.

«Oh, Selva!» disse Enne 2.

Ma aveva gli occhi che brillavano.

11

«Oh! Selva!» disse.

«Sì» Selva continuò «sarei contenta che fosse la tua compagna. Sarei contenta che lo fosse, anche senza che fosse *una* compagna. Preferirei che fosse così, che fosse solo una donna, che fosse solo la tua compagna. Davvero non è la tua compagna?»

«Ma perché, Selva?» disse Enne 2. «Perché vorresti che fosse la mia compagna?»

E guardava Berta con gli occhi che scintillavano.

«Perché?» disse.

E Berta era guardata da Selva, era guardata da lui, era guardata e muta, e non diceva nulla nemmeno con gli occhi, teneva bassa la faccia.

VIII. «Ti sembra strano?» Selva disse. «Non è strano. Non ti abbiamo mai veduto con una tua compagna, e desideriamo che tu abbia una compagna. Non possiamo desiderare che tu abbia una compagna?»

Guardava ardentemente uomo e donna.

«Non possiamo desiderare questo per un uomo che ci è caro? Un uomo è felice quando ha una compagna. Non possiamo desiderare che un uomo sia felice? Io desidero che tu sia felice.»

«Grazie» disse Enne 2. «Grazie Selva. Ma...»

«Ma, un corno» la vecchia Selva disse. «Non possiamo desiderare che un uomo sia felice? Noi lavoriamo perché gli uomini siano felici. Non è per questo che lavoriamo?»

«È per questo» disse Enne 2.

«Non è per questo?» Selva disse.

E sempre guardava uomo e donna.

«Perdio!» disse. «Bisogna che gli uomini siano felici. Che senso avrebbe il nostro lavoro se gli uomini non potessero essere felici? Parla tu, ragazza. Avrebbe un senso il nostro lavoro?»

«Non so» rispose Berta.

Ed era come se non avesse risposto, era seria; e alzò un momento la faccia, ma era come se non l'avesse alzata.

«Avrebbe un senso tutto il nostro lavoro?»

«No, Selva. Non lo credo.»

«Niente al mondo avrebbe un senso. Vero, ragazza?»

«Non so» rispose di nuovo Berta.

«O qualcosa avrebbe lo stesso un senso?»

«No» rispose Enne 2. «Non lo credo.»

«Avrebbero un senso i nostri giornaletti clandestini? Avrebbero un senso le nostre cospirazioni?»

«Non lo credo.»

«E i nostri che vengono fucilati! Avrebbero un senso? Non avrebbero un senso.»

«No. Non avrebbero un senso.»

«C'è qualcosa al mondo che avrebbe un senso? Avrebbero un senso le bombe che fabbrichiamo?»

«Credo che niente avrebbe un senso.»

«Niente avrebbe un senso. O avrebbero un senso i nemici che sopprimiamo?»

«Neanche loro. Non lo credo.»

«No. No. Bisogna che gli uomini possano essere felici. Ogni cosa ha un senso solo perché gli uomini siano felici. Non è solo per questo che le cose hanno un senso?»

«È per questo.»

«Dillo anche tu, ragazza. Non è per questo?»

IX. «Io non so» rispose Berta.

«Tu non sai» Selva disse. «Tu lo dici che non lo sai. E invece lo sai. Chi può non saperlo?»

13

«Lo sa. Lo sa» disse Enne 2.

Egli sempre aveva gli occhi che scintillavano. «Vuoi che non lo sappia?» disse.

«Lo so che lo sa» Selva disse. «Come tu pure lo sai.»

E guardava ardentemente tutti e due. «Lei lo sa e tu lo sai. Tutti e due lo sapete. Ma non siete felici.»

«Non siamo felici?»

«Non lo siete.»

«Sei sicura che non lo sa o.

«Ne sono sicura. Non lo siete.»

La vecchia Selva si rivolse di nuovo a Berta:

«Vero, ragazza, che non lo sei?»

Berta si lasciava guardare. Non rispondeva.

«No» Selva disse. «Tu vai a casa tua. E che fai? Entri in camera tua. E che fai?»

Berta non rispondeva.

«E che fai? Hai il letto e ti metti a letto. E allora? Che ti succede quando sei a letto? Niente ti succede. Non dormi nemmeno.»

«Non dorme?» disse Enne 2.

«Non può dormire. È a letto, e non le succede niente, non ha niente...»

«Oh guarda!» disse a Berta Enne 2. «Non hai niente, Berta.»

Berta non rispondeva.

«Ma anche tu sei lo stesso» Selva disse. «Che hai tu in casa tua? Che hai nella tua camera? Niente hai.»

«Niente ho?»

«Hai peggio. Un vestito appeso dietro la porta.»

«Un vestito appeso dietro la porta?»

«L'ho veduto. Un vestito di donna dietro la porta.»

Enne 2 disse a Berta:

«Senti che dice Selva?»

«Sì» rispose Berta.

«Dice che ho un vestito dietro la porta.»

«Sì» rispose Berta.

«Non siete felici» disse Selva. «Lei non ha un compagno e tu non hai una compagna. Non siete felici.»

«Ma Selva!» gridò Enne 2. «Vuoi che Berta non abbia un compagno?»

«Non ce l'ha.»

«Ho trentasei anni» Berta disse.

«E che significa?» disse Selva. «Puoi anche avere trentasei figli, ma non hai un compagno, non l'hai mai avuto.»

«Sei presuntuosa, Selva» disse Enne 2.

«Presuntuosi siete voi. Volete lavorare per la felicità della gente, e non sapete che cosa occorre alla gente per essere felici. Potete lavorare senza essere felici?»

Enne 2 si alzò dal divano dov'era seduto con Berta, e si avvicinò alla bella vecchia.

«Selva» le disse «io oggi sono felice.»

«Sì?» disse Selva.

Era su una sedia, seduta rigida, e tirò un po' indietro la fine testa dai capelli bianchi per continuare a guardarlo in faccia.

«Sì» Enne 2 le disse. «È il più splendido inverno che abbiamo mai avuto dal 1908» le disse.

«Soltanto oggi?» Selva disse.

«Oggi» Enne 2 le disse.

«Dal 1908?» Selva disse.

«Da trentasei anni» Enne 2 le disse.

Selva, allora, riabbassò lo sguardo, e fu con gli occhi grigi sopra a Berta.

«Ma questa ragazza sta piangendo» disse.

X. «Che cosa?» Enne 2 esclamò.

Selva prese il suo cappotto, dal tavolo dov'era posato; prese da terra una valigia; e se ne andò.

«Berta» disse Enne 2.

Le aveva sollevato la faccia, e baciò il suo pianto sulla sua bocca.

«Perché?» Berta disse. «Perché tanti mesi non mi hai mai cercato? Perché puoi andartene e non cercarmi più? Perché puoi restar solo? Perché puoi restare con quello spettro? Perché puoi restare con quel vestito dietro la porta? Perché puoi far questo? Perché puoi?»

«E perché tu?» disse Enne 2. «Perché tu?»

Disse Berta:

«È stato in maggio che ti hanno arrestato.»

«È stato in maggio» disse Enne 2.

E Berta: «Da maggio è durato fino a metà di agosto».

Enne 2: «È durato fino a metà di agosto».

Berta: «E io ogni giorno sono stata dietro la porta della prigione».

Enne 2: «Tu proprio? Non il tuo vestito?».

Berta: «Io proprio. Non riconoscevi ch'ero io proprio?».

«Ma io ero arrabbiato con te» disse Enne 2.

«E perché lo eri?» Berta disse. «Perché puoi esserlo? Perché, quando sei venuto fuori, non mi hai cercato? Perché puoi non cercarmi?»

«Scrivevo il tuo nome sul muro, in prigione.»

«Ma io ero io proprio, dietro la porta. Perché puoi non cercarmi?»

«Ho cercato di cercarti. La tua casa era distrutta.»

«Hai cercato? Davvero mi hai cercato?»

«Ero ancora arrabbiato, ma ti ho cercato.»

«Oggi» Berta disse «è gennaio.»

«È inverno» disse Enne 2. «È gennaio.»

«E da metà di agosto» Berta disse «mi hai cercato fi-nora?»

«Quasi finora.»

«E hai potuto non trovarmi?»

«Ti ho cercato senza cercarti» disse Enne 2. «Ma non ho fatto altro. Non lavoravo nemmeno.»

«Quando hai ricominciato a lavorare?» Berta domandò.

«Poche settimane fa» disse Enne 2. «Poco prima di Na-tale.»

XI. Tacquero, ma Berta già da un pezzo non piangeva, aveva parlato, e quando Enne 2 la baciò di nuovo, gli cir-condò con le braccia il collo e teneva chiusi gli occhi.

Egli le tolse il cappello. «Non temere per Selva» le disse. «Non tornerà fino a domanı sera.»

Berta riaprì gli occhi.

«Perché?»

«Come!» egli esclamò. «Ti è passata?»

Berta scosse il capo.

«Non posso stare con te e poi essere anche di quel-l'uomo.»

«Mezz'ora fa volevi che ti prendessi.»

«Anche ora lo voglio. L'ho sempre voluto.»

«E allora, Berta?»

«Non voglio soltanto che tu mi prenda. Voglio di più.»

«Tutti e due vogliamo di più.»

«Ma non capisci? Ora non potremmo averlo.»

«Non potremmo ancora averlo?»

«Ora dovrei essere anche di quell'uomo.»

Egli si staccò da lei.

«Già» disse. Lentamente si oscurava nel volto; né guar-dava più lei, guardava davanti a sé.

«Capisco» disse.

«Ricominci a volermi male?» chiese lei.

«Non è questo» egli disse.

«Invece sì» disse lei. «Ricominci a volermi male.»

«No. Non è questo.»

«Che cosa può essere d'altro?»

«Il modo in cui tu ti sentivi.»

«Era vero.»

«Ma che cosa era? Hai detto che volevi farla finita. Con che cosa volevi farla finita?»

«Ho detto questo?»

«Così hai detto. Facciamola finita.»

«Facciamola finita?»

«Facciamola finita!»

«Mah!» disse Berta. «Io non so. Non sapevo quello che dicevo.»

Soggiunse subito, mentre lui tornava a guardarla:

«Io ti volevo, e basta. Volevo che tu mi prendessi, e basta. Mi pareva di poter essere anche di tutti gli uomini, pur di essere tua. Per questo ho detto che mi sentivo a quel modo.»

Egli era tornato a guardarla, ma restava staccato. «Ah!» esclamò piano. «Non credevo che intendessi dire questo.»

«Che cosa credevi che intendessi dire? Venire via con te?»

XII. Egli si alzò in piedi, e girava per la piccola stanza disadorna, si mise ad aprire gli armadi.

«Non avrà nulla che si possa bere?» disse.

Aprì prima un armadietto, poi un armadio a muro, poi tornò all'armadietto e prese due bicchieri, e tornò all'armadio a muro, rimase tra i due battenti, cercando dentro.

«Non sarebbe stato sentirmi a quel modo» disse, dal divano, Berta.

«Vero» egli disse. «È vero.» E non veniva fuori dai due battenti. «Avrà bene qualcosa da bere» disse.

«Perché vuoi bere?» disse Berta. «Ti prego» disse. «Non volermi male.»

«Non te ne voglio.»

«Me ne vuoi. Me ne vorrai.»

«Non te ne vorrò.»

«Sì, me ne vorrai» disse Berta. «E se fossi tua, poi me ne vorresti peggio. È di questo che ho paura.»

Egli si voltò dall'armadio, tenendo una bottiglia in mano. «Ti vorrei male peggio?»

Ma guardava la bottiglia contro la luce; non guardava lei.

«Non potresti sopportare che io fossi anche di quell'uomo.»

Egli guardava sempre la bottiglia. «E se non ne parlassimo più?» le disse. «Siamo amici» le disse. «Possiamo essere soltanto amici.»

E versò dalla bottiglia nei due bicchieri, portò a lei uno dei bicchieri. «Non vuoi?»

«No. No.»

«Non vuoi che siamo amici?»

«Non possiamo esserlo, con quello spettro.»

«Io posso esserlo. Siamo amici da dieci anni, io e lui.»

Berta si alzò. «Io ti prego solo di darmi ancora un po' di tempo» gli disse. «Non volermi male. Io voglio riuscire ad essere la tua compagna.»

«Ma non occorre» egli disse.

«Occorre» disse Berta. «Mi occorre» disse. «Non volermi male.»

«Possiamo farla finita» egli disse.

«Non possiamo» disse Berta.

«Possiamo farla finita anche senza prenderci» egli disse. «Non possiamo farla finita anche senza prenderci? Possiamo farla finita restando amici.»

«Perché mi vuoi così male?» Berta esclamò. «Tu mi vuoi male come quando sei andato in prigione.»

«No» egli rispose. «Vedrai che non ti voglio male. Vedrai» soggiunse «che ti cercherò.»

«Ma ora io non abito a Milano» disse Berta.

«No?» egli disse. E la sua faccia era d'un tratto come spaventata. «Non abiti a Milano?»

«Vengo ogni due o tre giorni. Mi fermo dai miei cognati.»

«Ti cercherò dai tuoi cognati.»

Egli spalancò la porta, e tolse in spalla la bicicletta. «Ho un appuntamento per le dodici meno un quarto» le disse. «E sono le undici.»

Berta lo seguì.

«Mi cercherai?» gli disse in strada.

«Ti cercherò.»

«Ho paura del lavoro che fai ora.»

«Non devi aver paura.»

«Che lavoro è?»

«Ti spiegherò un'altra volta» egli le disse. Ma aveva la faccia come spaventata. «Perché non abiti a Milano?» le chiese.

«La casa è stata distrutta» rispose lei.

«Vero» egli disse.

Salì sulla bicicletta e la portò in canna fin dove passava il tranvai 1, aspettò che lei prendesse il tram.

«Ciao» le disse.

«Ciao» gli disse Berta.

XIII. Egli andò un pezzo insieme al tram, vedeva lei contro il vetro, tra la folla e il vetro, e vedeva la sua mano aperta contro il vetro per lui, vide i suoi occhi chiari ingrandirsi in un più limpido sguardo, rivide il limpido inverno, e salutò, svoltò, corse da un'altra parte.

Corse, fino alle dodici meno un quarto, avanti e indietro per gli alti viali dei bastioni, tra Porta Nuova e Porta Venezia; e alle dodici meno un quarto si fermò davanti a un'edicola.

Una signora che comprava il giornale gli si avvicinò.

«Che faccia scura!» gli disse.

«Sì?» Enne 2 rispose.

Essa aprì la borsetta, ed egli ne ritirò una rivoltella che fece sparire nella tasca del soprabito.

«In gamba» egli le disse.

«In gamba» gli disse lei.

XIV. Tre uomini in tuta grigia, con borsa da lattoniere a tracolla, lo aspettavano poco più in là, le biciclette contro il marciapiede, dietro un grande palazzo.

«Ehi!» egli li salutò.

I tre erano giovani e lieti: con occhi che ridevano.

«Allora?»

«Ve l'ho mostrato ieri. Escono a mezzogiorno...»

«Mancano tre minuti.»

«Voi passate con le biciclette, lasciate che salgano sulla macchina.»

«E appena saliti diamo dentro?»

«Appena la macchina si mette in moto.»

«Non appena sono saliti?»

«Appena la macchina si mette in moto.»

«Ma tu?»

«Ve l'ho detto. Resto dietro.»

I tre ragazzi si guardarono.

«Mica è indispensabile.»

«Andiamo» disse Enne 2. «È mezzogiorno.»

I tre montarono in bicicletta.

«In gamba.»

«In gamba.»

Si allontanarono, e l'uomo Enne 2, portando per mano la bicicletta, passò davanti alla facciata del palazzo, tra una nera macchina ferma e una breve gradinata in cima alla quale montava la guardia un biondo ragazzo delle S.S., in uniforme anch'essa bionda. Il sole dell'inverno splendeva sulla canna nera del suo mitragliatore, e d'un tratto egli fece un brusco movimento, quattro uomini uscirono, con lunghi cappotti militari, al sole.

Enne 2 vide un momento le loro facce, tre tedesche, una italiana dalle sopracciglia grige, e passò oltre, andò fino all'angolo senza mai voltarsi.

XV. I tre ragazzi in bicicletta lo incrociarono.

Parlavano tra loro, pedalando piano, e non lo guardarono, avevano capelli bruni che luccicarono, al sole dell'inverno, come pelo bruno di animali. Enne 2 si voltò, allora, nell'atto di disporsi a salire in bicicletta. Vide sulla gradinata il ragazzo biondo rimasto impietrito nel suo brusco movimento, vide la macchina con lo sportello aperto, e qualcuno vestito di nero che teneva lo sportello, vide i quattro dai lunghi cappotti ch'erano già al piede della gradinata.

I tre dalle facce tedesche si salutavano, quello dalla faccia italiana, un po' più avanti, teneva chino il capo, ed ecco ch'egli ebbe una risoluzione improvvisa, entrò a prendere posto nella macchina.

Ma i tre ragazzi in bicicletta erano già all'altezza della macchina e ancora i tedeschi si salutavano. Enne 2 vide i tre ragazzi continuare il loro cammino.

«Bene» disse. «Meglio.»

Due dei tedeschi entrarono in macchina, l'uomo nero chiuse lo sportello, salì a sua volta, e il tedesco rimasto a terra ancora salutava, ancora s'inchinava. Enne 2 guardò il ragazzo biondo sull'alto della gradinata, e l'ufficiale che salutava al piede di essa.

Partì la macchina.

I tre ragazzi in bicicletta si scansarono davanti ad essa, tutti e tre dalla stessa parte, e allora Enne 2 vide le loro braccia levate in aria, udì in tre tempi lo scoppio.

«Ci siamo» disse. E salì in bicicletta, ed estrasse la rivoltella.

In alto il ragazzo biondo mirava con la sua arma nera i tre che scappavano sulle biciclette, e al piede della gradinata l'ufficiale che fino a quel momento aveva salutato toglieva la sicura alla sua rivoltella.

Egli gridava in tedesco.

«Che vuoi tu?» disse Enne 2. «Che vuoi anche tu?»

Si trovò a far fuoco, due volte, e il ragazzo biondo cadde ripiegato sulla sua arma, l'ufficiale si voltò e sparò contro di lui.

Era come se fosse ingrandito. Ingrandiva, continuava a ingrandire, egli sparò dentro a quel corpo che ingrandiva, e vide al di là la nera macchina che fumava, in nera rovina attraverso la strada.

XVI. Presto fu dietro al palazzo.

Entrò in piccole strade dove la gente scappava, le facce bianche, e corse con altri che pure correvano in bicicletta. Si chiudevano i portoni, venivano abbassate le saracinesche delle botteghe, le facce erano bianche, ed egli domandò che cosa accadesse.

«Cane Nero! Cane Nero!» gli risposero.

«Cane Nero?» egli domandò.

«Viene Cane Nero!» gli risposero.

Davanti a una latteria c'era una coda per il latte. Il lattaio voleva chiudere, le donne volevano prima il loro latte.

«Ma viene Cane Nero!» il lattaio gridò.

Le donne maledissero Cane Nero.

«Ma che cosa è accaduto?» domandò Enne 2.

Egli aveva visto la persona che cercava. Era ferma tra la latteria e un negozio di parrucchiere, dietro la gente che correva, ed era la stessa delle dodici meno un quarto.

«Sembra che abbiano fatto saltare il Comando tedesco» essa gli rispose.

Era intrepida e sorrideva.

"Perdio!" pensò Enne 2 guardandola. E non trovò altro che potesse dire. «Perdio!» rispose alla sua risposta.

La signora aprì, tra la gente, la sua borsetta, ne prese fuori un fazzoletto e si soffiò il naso.

«Molti morti?» Enne 2 domandò.

La signora guardò nella borsetta, vide che c'era di nuovo la rivoltella.

«Sembra di sì» rispose. «Venti o trenta.»

Un garzone di droghiere la urtò passando. Passò e gridava: «Hanno fatto fuori un generale!».

La signora aveva richiuso la borsetta, e trattenne il garzone per il braccio.

«Che cosa hanno fatto?»

«Hanno fatto fuori il capo del Tribunale.»

Il garzone era bianco in faccia, ma con gli occhi felici.

«Cra, cra» rispose. «Lo hanno ammazzato.»

La signora lo lasciò andare, guardò Enne 2 che si accendeva, fermo in sella, una sigaretta, e attraversò la strada. Vicino all'altro marciapiede Enne 2 la raggiunse.

«In gamba, Lorena» le disse.

«In gamba» Lorena gli rispose.

XVII. Egli la sorpassò, e fu solo; vide nella città il deserto

Ossa di case erano nel deserto, e spettri di case; coi portoni chiusi, le finestre chiuse, i negozi chiusi.

Il sole del deserto splendeva sulla città invernale. L'inverno era come non era più stato dal 1908, e il deserto era come non era mai stato in nessun luogo del mondo.

Non era come in Africa, e nemmeno come in Australia, non era né di sabbia né di pietre, e tuttavia era com'è in tutto il mondo. Era com'è anche in mezzo a una camera.

Un uomo entra. Ed entra nel deserto.

Enne 2 vide ch'era il deserto, lo attraversò, e pensava a Berta che non abitava a Milano, andò fino in fondo al corso Sempione dov'era la sua casa.

Dietro ebbe sempre il grido di Cane Nero, sopra il deserto.

Entrò nella sua camera.

XVIII. L'uomo chiamato Enne 2 è nella sua camera. Egli è steso sul letto, fuma, e io non riesco a non recarmi da lui. Da dieci anni voglio scrivere di lui, raccontare della cosa che c'è da dieci anni tra una donna e lui, e appena sono solo nella mia camera, steso sul mio letto, il mio pensiero va a lui, e mi tocca alzarmi e correre da lui.

«Sono qui» gli dico «Enne 2.»

Questo è il suo nome di ora, come ora lo chiamano i suoi, ma egli ne ha avuti altri, e io li ho conosciuti, io l'ho chiamato, in dieci anni, con tutti i nomi che ha avuto.

«Sono qui» gli dico «sono tornato.»

La sua faccia è bianca. È steso vestito sul letto, con le scarpe ai piedi; e ha gli occhi chiusi. Dorme? Ha la sigaretta accesa in bocca; non dorme. Ma sembra che io lo tormenti. Crede che io sia un fantasma, lo Spettro della cosa che c'è tra lei e lui, o forse della Separazione da lei; e ogni volta, quando entro da lui, mi tratta, in principio, come se davvero fossi un fantasma, quel suo Spettro.

Gli dico: «Non ci conosciamo da dieci anni? Io sono come te».

Ma non serve. Egli apre gli occhi e si solleva, si mette su un gomito, si abitua ad avermi. Ma vede in me la vecchia faccia della privazione che gli fa male, la mancanza di lei, da dieci an-

ni. Come il vestito di donna che tiene appeso a una gruccia dietro una porta.

XIX. Di chi è quel vestito? Egli lo guarda, ed io lo guardo.
Qualche volta lo abbiamo anche toccato.
    «Non ti lascio solo» gli dico. «Non ti sono amico?»
    «Sì» egli dice. «Grazie.»
    «Io posso far molto per te.»
    «Sì?» egli dice.
    «Sì» gli dico.
    «Che cosa?» egli mi dice. «Io ho bisogno di riposare.»
    E mi guarda. «Lo sai che cosa vorrei?»
    «Che cosa?» io gli domando.
    «Un giorno della mia infanzia.»
    «Non è difficile averlo.»
    «Metterci dentro la testa.»
    «Non è difficile» gli dico. «Lo vuoi?»
    «Ma con una differenza.»
    «Che differenza?»
    «Con la cosa tra me e lei.»
    «Come?» gli chiedo. «La tua infanzia e questa cosa insieme?»
    «La mia infanzia e questa cosa insieme.»
    «Ma non è reale.»
    «È due volte reale.»
    «Tu di allora?» gli dico. «E tu di ora?»
    «Io nella mia infanzia» egli mi dice. «E nella mia infanzia an-
che lei. La cosa nostra in un giorno di allora.»
    «Ma tu» gli dico «non conosci lei bambina.»
    «Io conosco tutto di lei.»
    «Tu eri in Sicilia e lei era in Lombardia.»
    «Io ero anche in California.»
    «Ma non vi siete mai incontrati, nella vostra infanzia.»

«E non possiamo incontrarci ora?»

«Proviamo» gli dico. «Possiamo vedere.»

«È per metterci la testa dentro» dice lui.

XX. La sua sigaretta si era spenta, e se la riaccende. Lancia lontano il fiammifero.

«Che sai» io gli chiedo «che sai della sua infanzia che lei ti abbia raccontato?»

«So che abitava in campagna» mi risponde. «In mezzo a un giardino.»

Entriamo in un giardino.

«Questi grandi alberi?» gli chiedo.

«Questi grandi alberi» egli dice. «Sono cedri del Libano?»

«Io non mi intendo di alberi. Ti ha detto lei ch'erano cedri del Libano?»

Egli guarda in alto, camminiamo, e negli alberi è quasi la sera, pomeriggio tardi.

«Sento la sua voce» egli dice.

«La sua di bambina?»

«La sua di dieci anni. Corre come se lei scappasse.»

«Altri sono con lei.»

«Erano molti bambini.»

«Sarà nella casa?»

Vediamo vetri di finestre, e sui vetri sole. Io mi avvicino.

«Non avviciniamoci alla casa» egli dice.

Ma è con me, e vediamo, dietro i vetri, un camino. C'è fuoco nel camino, e quello che sui vetri sembrava sole, forse è il fuoco del camino. Due ragazze siedono e leggono.

«Non è qui» egli dice.

«Dove può essere?» gli chiedo.

«Non sarà ancora tornata da scuola.»

«Così tardi?»

«Era una monella. Sarà in strada che si pesta coi compagni.»

«Dalla voce pareva che giocasse.»

«Starà pattinando» egli dice.

Sentiamo un rumore di pattini a rotelle, e andiamo sul muro del giardino, ci sediamo là.

«Eccola» gli dico.

XXI. Lei di dieci anni viene nella corsa dei pattini a rotelle; è gambe e capelli, e un vestito breve, da sopra le ginocchia, come un'ala.

«È lei?» egli chiede.

«Certo che è lei» gli dico.

Dietro, pure su pattini, vengono tre ragazzi urlanti. Lei salta e si volta, e corre in mezzo a loro, i tre ragazzi cadono urlanti a terra, e lei va lontana; è lontana sulla deserta strada asfaltata, tra il muro del suo giardino e la campagna, tra la campagna e il villaggio, quasi nella sera.

«Io scendo» egli dice.

«Scendi.»

È un bambino di sette anni che scivola giù dal muro.

«Sei buffo» io gli dico.

«Perché?» dice il bambino.

Mi guarda con occhi senza bianco, ed è scuro in faccia, biondi solo i capelli come la stoppia del grano.

«Hai i calzoni fin sotto il ginocchio» gli dico.

Tra il muro e la strada c'è l'acqua di una roggia, e lei di dieci anni torna in turbine, sul ruggito dei pattini a rotelle.

«Berta» la chiama il bambino.

Egli raggiunge un punto dove un'asse attraversa la roggia, ed è sulla strada.

Lei di dieci anni si è fermata sui pattini. «Come sai il mio nome?» gli dice.

Viene, alzando i pattini, a passi di gatto con gli stivali.

«Lo so anche scrivere» il bambino dice.

«Ah, sì?» dice lei di dieci anni. «In francese anche?»

«Anche in turco» dice il bambino. «In tutte le scritture.»

«Ma guarda!» dice lei di dieci anni.

Poi chiama i suoi compagni, i ragazzi urlanti. «Venite a vedere!»

«Che c'è?»

«Non vedete?» dice lei di dieci anni. «Non vedete com'è nero?»

«Uh!» i ragazzi dicono.

«Di dov'è saltato fuori? Sa anche il mio nome.»

I ragazzi circondano il bambino.

«Sai il suo nome?»

«Lo so» il bambino dice.

I ragazzi girano intorno a lui, come indiani su pattini.

«Dimenticalo» dicono. Gli girano intorno e quasi cantano. «Sai il suo nome? Dimenticalo. Lo sai? Dimenticalo.»

Anche lei di dieci anni è tra loro; gli fanno, su pattini, una danza della morte intorno.

«Ora basta» il bambino dice.

«Che cosa?» dice lei di dieci anni.

«Io sono nei Gap» il bambino dice. «Mandali via, o li faccio fuori.»

«Che cosa?» dice lei di dieci anni. «Che cosa?»

XXII. Scende la sera, è un chiaro inverno, e io sono seduto sul muro del giardino. Lo chiamo.

«Non ne hai abbastanza?»

Egli ha di nuovo la sigaretta spenta in bocca. «Non mi ha riconosciuto» dice.

«E tu va da lei come sei ora.»

«Da lei di dieci anni, io come sono ora?»

Una luce si è accesa a un'estremità della casa, camminiamo nella notte dei grandi cedri. Dov'era il camino c'è il fuoco che rischiara, e lei di dieci anni siede coi piedi sul tavolo, come sappiamo che sedeva.

«Che fa al buio?» egli dice. «È sola.»

La chiama, con la sua voce di ora.

«Berta» chiama.

Lei salta su e corre alla vetrata. È vestita di bianco.

«Berta» egli dice.

Vediamo la sua piccola faccia, e non è spaventata, ma non è più com'era nel gioco dei pattini a rotelle; è, contro i vetri, come consapevole di tutto quello che le toccherà di avere.

Apre, e viene dove siamo noi, sul gradino della soglia.

Egli ha riacceso la sua sigaretta che sempre torna a spegnersi. Fa un punto di fuoco nella notte, e noi comprendiamo che lei lo guarda. Che cosa pensa, lei di dieci anni? Che cosa crede?

La sentiamo che parla. «Chi è? Che c'è?»

Nel bianco del suo vestito vediamo il freddo che l'ha presa, e io prego lui di lasciarla stare.

«Ma io voglio fermarla» egli dice.

«Vuoi fermarla?»

«Non voglio che continui. Non voglio che accada quello che è accaduto. Non voglio che incontri quell'uomo. Voglio fermarla!»

Lei di dieci anni getta allora un grido e indietreggia, chiude su di noi la vetrata. «Tu non puoi che spaventarla» io dico.

XXIII. La mattina dopo Lorena salì da Enne 2 ad avvertirlo che quel pomeriggio, alle cinque, il comando dei patrioti si riuniva in una certa casa e che lui doveva partecipare alla riunione.

Lorena era l'unica persona che conoscesse dove ora abitava Enne 2; era la sua portatrice d'arma, l'addetta a lui; ed era, quando si toglieva cappello e cappotto, alta e giovane, una ragazza. Lorena, da Enne 2, si toglieva sempre cappello e cappotto.

«Non hai nulla da fare?» le chiese Enne 2.

Egli si trovava ancora a letto, i panni ammucchiati su una sedia, e Lorena si mise a sedere sul davanzale della finestra.

«Io no» Lorena rispose. «Niente fino a mezzogiorno.»

«E fino a mezzogiorno» disse Enne 2 «vuoi stare seduta su quella finestra?»

«Ti do noia?» Lorena rispose. «Se ti do noia scappo subito.»

«Non mi dai noia» disse Enne 2.

Si voltò, sul letto, da un'altra parte, e guardò il sole dell'inverno che, venendo dalla finestra, teneva posate sul muro le sue fragili dita.

«Hai bottoni da attaccare? Calze da rammendare?» Lorena gli chiese.

Essa si alzò a vedere che cosa potesse fare per Enne 2, poi di nuovo sedette sulla finestra, tirò su le gambe; e rammendava.

Enne 2 seguì il sole dal muro alla finestra, sulle sue lunghe dita.

Si fermò a guardare lei.

XXIV. «Ma non hai niente sotto?» le chiese.

«Come no?» Lorena rispose. «Ho le mutandine.»

Enne 2 si sollevò su un gomito per guardare meglio. «Le hai? Sembra che tu non le abbia.»

«Pure le ho. So bene di averle.»

«Ti vedo fin dentro l'anima.»

Lorena si guardò tra le gambe, oltre l'orlo del vestito. «Mi vedi le cosce. Questo mi vedi.»

Aprì di più le gambe, abbassò il capo a guardarsi di nuovo, e si passò una mano sul cavallo delle mutandine.

«Eri quasi indecente» disse Enne 2.

«Perché?» Lorena chiese. «Non sai com'è fatta una donna?»

Enne 2 incrociò le braccia dietro la testa.

«Sono anni che non ne tocco una.»

«Eh?» disse Lorena. «Anni che non tocchi una donna?» E un momento smise di rammendare. «Come mai?»

Enne 2 ora guardava il soffitto, la testa sul cuscino. Pensava i suoi anni e contava. Pensava tutta la sua vita. Quando aveva toccato l'ultima volta una donna?

Disse: «Non so».

Poi improvvisamente, chiese: «Ma tu, Lorena, hai un compagno? Hai un uomo?».

«Io?» Lorena rispose. «Io no.»

«Non hai un uomo, Lorena?»

«Non l'ho.»

«Vuoi dire che non l'hai mai avuto?»

«Una volta l'ho avuto» Lorena rispose.

«Allora» disse Enne 2 «non t'importa se ti parlo di queste cose.»

«No» Lorena disse. «No.»

Rammendava, e l'uomo Enne 2 la guardava. «Credi che non si possa stare senza una donna? Si può stare» egli disse. «Ma uno non sa» soggiunse «se è ancora un uomo.»

Si alzò a sedere sul letto.

«Perdio!» esclamò. «Mi seccherebbe di non esserlo.»

«Perché non dovresti esserlo?» disse Lorena. «Non hai l'aria di non esserlo.»

«No?» egli disse. «Tu credi che io lo sia?»

«Credo che tu lo sia» disse Lorena.

XXV. Seduto sul letto, di faccia a Lorena arrampicata sul davanzale della finestra, Enne 2 si abbracciò, sotto le coperte, le ginocchia. Puntò sulle ginocchia il mento, e così stava, guardando i tetti nel sole dell'inverno dietro a Lorena, quando d'un tratto gridò:

«Non puoi metterle giù quelle gambe? Cristo!»

Lorena non mise giù le gambe. Sollevò la faccia.

«Che ti fanno le mie gambe?»

«Te l'ho detto, Lorena. Sono anni che non tocco una donna.»

«E che ti fanno le mie gambe?»

«Mi fanno pensare a quello che è una donna.»

«E questo che ti fa? Ti fa male?»

«Perdio, Lorena! Dovresti aver paura...»

«Di che cosa dovrei aver paura?»

«Potrei aver voglia di prenderti, Lorena.»

«E io» disse Lorena «dovrei averne paura?»

Disse sorridendo:

«Io non ne ho paura.»

Enne 2 la chiamò. «Lorena.»

Lorena scese dal davanzale della finestra.

«Che c'è?» rispose.

Si avvicinò al letto.

«Perdio!» egli disse, e le afferrò l'orlo del vestito.

«Dovresti tu aver paura» disse Lorena. «Se ti sta a cuore di non prender le donne dovresti tu aver paura.»

Enne 2 le mise la mano tra le cosce.

«Io non voglio prenderti» gridò.

«E chi ti chiede di prendermi?» disse Lorena.

Egli era entrato con la mano sotto le sue mutandine.

«Che farei a prenderti, Lorena?»

«Non mi prendere.»

«Che ti darei, Lorena? Che potrei darti?»

«Non mi prendere se non hai voglia di prendermi.»

«Io non ho nulla da darti, Lorena.»

«Perché dici queste cose? Io non direi queste cose se fossi in te.»

«Che cosa diresti, Lorena?»

«Non direi niente. Ti prenderei e basta.»

«Saresti contenta se ti prendessi e basta, Lorena?»

«Ne sarei contenta.»

Egli cominciò a spogliarla.

«Oh, Lorena!» esclamò. «Io voglio sapere se sono ancora un uomo.»

Buttò via le coperte, e l'attirò a sé.

«Lo sei» disse Lorena. «Vedrai che lo sei.»

Egli entrò da lei.

«Io non ti amo, Lorena» disse.

«Uomo!» disse Lorena.

«Ma io non ti amo! Io non ti amo!»

«E che cosa importa?»

«Amo un'altra donna, Lorena.»

«Che cosa importa?»

«Non importa, Lorena?»

«Non importa.»

XXVI. Quando ebbero finito egli volle subito fumare.

«È una buona cosa» disse «essere uomo.»

«Anche essere donna» disse Lorena.

«Ti basta questo?» Enne 2 le chiese.

«Mi basta» disse Lorena. «Non ti porterò via a nessuno.» Sorrise anche. «Ma quando vuoi sentirti uomo non far complimenti.»

«Scusami, Lorena» disse Enne 2. «Non capiterà più.»

«Sarebbe peccato che non capitasse più.»

«Non capiterà più.»

«Spero che capiti ancora.»

«Io non voglio che capiti più, Lorena.»

Lorena si rivestì, e anche Enne 2 cominciò a vestirsi Lorena si rimise a rammendare.

«No, Lorena» Enne 2 le disse.

Lorena continuò a rammendare.

«Ti prego, smettila!» Enne 2 le disse.

Lorena lo guardò.

«Non vuoi che ti rammendi le calze?»

«Lascia stare tutto.»

«Ma perché?» chiese Lorena.

«Non voglio vederti come se tu fossi la mia donna.»

«Oh!» Lorena disse.

«Non puoi smettere, Lorena?»

«Finisco e smetto...»

«Smetti subito.»

Lorena lasciò tutto sul davanzale della finestra e prese su il suo cappotto. Enne 2 glielo tolse di mano per aiutarla ad indossarlo.

«Allora alle cinque» Lorena disse.

«Alle cinque» rispose Enne 2.

XXVII. *Io so che cosa vuol dire un uomo senza una donna, credere in una, essere di una, eppure non averla, passare anche anni senza che tu sia uomo con una donna, e allora prenderne una che non è la tua ed ecco avere, in una camera d'albergo avere, invece dell'amore, il suo deserto.*

Questo, tra i deserti, è il più squallido; non di una vita che manca, ma di una vita che non è tale. Avevi sete, e tu puoi bere; l'acqua c'è. Avevi fame e puoi mangiare; il pane c'è. C'è la fonte, e i palmizi intorno, simile a quello che cercavi.

Ma è solo simile alla cosa, non è la cosa.

Che volevi? io mi dico. Mangio, ed è terra che mangio, non pane. Bevo, ed è terra che bevo. Rimango chino sul letto che ho davanti; e una volta non mi spogliai nemmeno; fumai tutto il tempo, appoggiato alla spalliera, dinanzi a quel deserto.

L'uomo ricorda la sua sete.

Oh sete! io penso. Mi sono dissetato, ma ho sete ancora; io non ho che sporcato la mia sete. E chino sul letto bevo; penso che sono umile in questo, penso che sono inginocchiato; ma so che la mia ferocia era la mia purezza.

Perché ho avuto pietà di me stesso? Quest'umiltà non salva un uomo. Egli non ha con sé nessuno. Egli è in ginocchio non nell'amore, ma nel suo deserto.

XXVIII. «Vuoi un giorno della tua infanzia?» chiedo a Enne 2.

Io so che cosa vuol dire quello che ha fatto, e sono con lui da quando Lorena se n'è andata.

Egli è come in pace; tutto è ancora serrato buio nella sua stanza; il vestito è nel buio dietro la porta; e la sua faccia preme sul cuscino. «Vuoi un giorno della tua infanzia?» gli domando.

Egli non lo vuole; forse dormirebbe se io non fossi con lui.

«Grazie» mi dice. «Non ne ho bisogno.»

«No?» gli dico. «Non vuoi un giorno della tua infanzia? Non vuoi metterci la testa dentro? Non sei stanco?»

So che lo tormento, ma non posso farne a meno.

«Non vuoi la tua infanzia, e insieme lei?»

«Lei nella mia infanzia?»

«Lei bambina e tu bambino. Tu e lei insieme.»

«Ma io non so niente di lei bambina.»

«Non sai tutto di lei? Tu sai tutto di lei.»

«Ma non l'ho mai incontrata, lei bambina.»

«E non puoi incontrarla ora? Puoi incontrarla ora.»

Ma egli non vuole incontrarla ora, non vuole che una pietra sul capo, pietra e pace, e si mette sul capo il cuscino.

«Ora no» mi dice.

«Come?» io gli dico. «Tu puoi fermarla se vai da lei bambina. Non vuoi fermarla?»

«Fermarla?» egli dice. «Fermare ogni cosa che le è accaduto?»

«Puoi impedire che incontri quell'uomo.»

«Impedire ogni cosa che le è accaduto?»

«Puoi» gli dico. «Puoi impedire ogni cosa, e fermare lei. Non vuoi fermarla?»

Egli, un momento, smuove la pietra che gli è sopra.

«Non posso» dice.

XXIX. *Io so che non può; conosco il deserto in cui egli è ora, non l'amore, ma la sua sabbia nera; pure gli dico che può.*

«Non puoi?» gli dico. «Puoi.» Gli parlo come se potesse. «Non abitava in campagna? In mezzo a un giardino? Entriamo nel giardino e chiamiamola. Puoi anche portarla in Sicilia quando lei viene. Non vuoi portarla in Sicilia? Le mostri la tua casa e la tua vecchia nonna. Dividi con lei il tuo piatto di lenticchie. Lanci con lei il tuo aquilone. Non vuoi portarla in Sicilia?»

Io vedo che lo tormento a dirgli queste cose, e mi chiedo perché, se gli sono amico, debba farlo.

«Enne 2» lo chiamo.

Egli è come in pace. Dorme? Riverso su una sabbia nera, una pace è in lui, non celeste, in non celeste sonno.

XXX. Alle cinque era il primo buio, fumo leggero nella sera d'inverno senza nebbia, e non portava notte, portava luna.

Enne 2 trovò, verso Molino dell'Armi, la casa, andò su con la bicicletta in spalla. Tre uomini aspettavano, un quarto giunse subito dietro a lui; e gli diede un buffetto, affettuosamente, su una guancia. «Tu?» Enne 2 gli disse.

Era una vecchia conoscenza di confino che rivedeva dopo anni, sapeva ch'era stato in Spagna, che era stato valoroso nelle Brigate Internazionali, ma non supponeva di incontrarlo lì quella sera.

Gli altri tre egli li aveva sempre incontrati a quelle riunioni: uno con baffi grigi, uno con occhi di gatto, uno con la testa rasa; ed essi parlavano come se il quarto non fosse presente, o fosse uno spettatore che non dovesse entrare nella conversazione.

Baffi Grigi chiese a Enne 2 se avesse letto i giornali del mattino.

Enne 2 non li aveva letti, e Baffi Grigi gli diede il *Corriere* indicandogli due punti nella cronaca della città.

«Non vogliono far sapere come sono andate le cose» disse. «In un punto raccontano che un soldato e un ufficiale tedeschi sono stati uccisi da ignoti sovversivi, e in un altro punto che il capo del Tribunale è rimasto vittima di un incidente d'auto insieme a due alti ufficiali dell'esercito germanico che si trovavano con lui.»

Egli guardò l'uomo dagli occhi di gatto che sedeva alla sua destra, e soggiunse:

«A quale scopo, è chiaro.»

«Chiaro» disse Occhi di Gatto.

«Da una parte riconoscono che ieri vi è stato un incidente e lo spiegano; dall'altra parte negano il successo ottenuto dai patrioti con l'eliminazione dei tre personaggi ch'erano nell'auto.»

«Ma devono anche sfogare la loro rabbia» disse Baffi Grigi.

«Per i due che confessano annunciano di aver già fucilato venti ostaggi. Per gli altri, che con l'autista sono quattro, si rimettono a una seduta del tribunale.»

«Riuniscono il tribunale senza un presidente?» chiese Enne 2.

Baffi Grigi indicò sul *Corriere* altri due punti.

«Hanno già un nuovo presidente. Nominato oggi.»

«Allora il tribunale può riunirsi anche subito.»

«Si riunisce» disse Baffi Grigi «stanotte.»

XXXI. Enne 2 si mise a camminare avanti e indietro nella stanza.

«Visto?» gli disse l'uomo dalla testa rasa.

«Mi domando» disse Enne 2 «che cosa penserei se fossi uno di loro.»

«Se fossi uno di chi? Dei tedeschi? Dei fascisti?»

«Se fossi uno dei quaranta che domattina saranno fucilati.»

I tre uomini si guardarono, e poi lo guardarono.

«Noi non abbiamo il diritto di domandarcelo.»

«Ma se io fossi uno di loro? Se fossi uno dei quaranta che saranno fucilati domattina? Che me ne sembrerebbe di dover essere fucilato con altri trentanove per quattro canaglie che i patrioti hanno tolto di mezzo?»

Baffi Grigi si alzò in piedi.

«Vuoi dire» disse «che non vale la pena sacrificare dieci dei nostri per ogni colpo che diamo al nemico?»

Dall'angolo dove stava in disparte, la vecchia conoscenza di Enne 2 si avvicinò al tavolo. «Non ti ricordi» disse a Enne 2 «quando non avevamo niente per colpire? Ognuno di noi avrebbe dato la propria vita per poter distruggere la millesima parte di un fascista. Pensavamo che valesse la pena versare il sangue di mille di noi perché un cane fascista vi affogasse dentro. Volevamo la lotta. Ora è la lotta che abbiamo.»

«E ci costa» disse Occhi di Gatto «dieci a uno. Non mille a uno.»

«Sono» disse Enne 2 «da una parte dieci uomini e dall'altra un cane. Dobbiamo fare di più.»

«Era questo che volevi dire?» Baffi Grigi disse. «Fare di più?»

«Colpire di più» disse Enne 2. «Colpire fino a stordirli. Non lasciar loro il tempo di eseguire le rappresaglie. Perché accettare che quaranta uomini siano fucilati domattina?»

«Nessuno accetta questo» disse l'uomo dalla testa rasa.

«Perché non impedire» Enne 2 continuò «che il tribunale si riunisca stanotte?»

Di nuovo i tre uomini si guardarono.

«Siamo qui per vedere come possiamo impedirlo» disse Baffi Grigi.

«E pensavamo di sopprimere il nuovo presidente» disse Testa Rasa. «Che ne pensi tu?» gli chiese.

«Sì» disse Enne 2. «Va bene.»

XXXII. «Sappiamo dove abita» disse Occhi di Gatto.
«E sappiamo che il tribunale si riunisce a mezzanotte.»
«Il coprifuoco è stato anticipato?»
«No. È sempre alle nove.»
«Bisognerà agire durante il coprifuoco, ad ogni modo.»
«Quando l'uomo esce dall'abitazione. Appena sale in macchina.»

Enne 2 si voltò dalla parte della vecchia conoscenza, che di nuovo era in silenzio, poi chiese a Baffi Grigi:
«Chi dovrebbe occuparsi della cosa?»

Dei tre uomini soltanto Testa Rasa aveva un proprio gruppo, come Enne 2; e per questo era chiamato O 1, cioè Olona 1. «Occorre un gruppo in gamba» Baffi Grigi rispose.

«Lo so» disse Enne 2.

«E il gruppo di Naviglio 1 non è in gamba» continuò Baffi Grigi. «Naviglio 3 è in missione fuori. Lambro è caduto. Olona 2 è caduto pure. Rimanete tu e Olona 1.»

«Noi due, Naviglio 2» disse Testa Rasa.

«Io» disse Enne 2 «ho quindici uomini, e dei tre di ieri dovrei lasciarne fuori due. Per l'azione che mi prospettate mi occorrono almeno venti uomini.»

«Venti uomini?» Occhi di Gatto esclamò. «Venti uomini per un'azione come quella di ieri mattina?»

«Non è un'azione come quella di ieri mattina» Enne 2 rispose. «Ci saranno poliziotti e guardie repubblicane ad ogni cantonata. Due o trecento, scommetto, con camion di avanguardia e camion di retroguardia. Non volete che disponga di almeno venti uomini? Debbo contare su un trenta per cento di perdite prima di arrivare all'automobile.»

«Ho idea» disse Testa Rasa «che il nostro Naviglio abbia ragione.»

«Ha ragione!» Occhi di Gatto esclamò. «Occorrono venti uomini?»

«Essi» Enne 2 rispose «prevedono il colpo che pensiamo di dar loro. E lo prevedono nella stessa forma di quello che abbiamo dato loro ieri mattina. C'è da meravigliarsi se cerchino di prenderci in un tranello?»

Disse Baffi Grigi:

«Per questo appunto io proponevo di attaccare l'abitazione stessa del nuovo presidente. E il più presto possibile. Prima del coprifuoco.»

Egli si era rivolto a Occhi di Gatto; e questi si buttò indietro, magro, incavato nel torace, vuoto negli occhi, contro la spalliera della sua sedia. «Non si è già scartato? Si è già scartato» disse.

«Non facciamo più in tempo» disse Testa Rasa. «Abbiamo avuto troppo tardi le indicazioni.»

«Ma il tribunale dove si riunisce?» chiese Enne 2.

«Alla sede del Gruppo Rionale Corridoni.»

«È sicuro? Controllato?»

«Controllato.»

«Allora io propongo di portare l'attacco direttamente sul tribunale e distruggerli tutti.»

XXXIII. I tre uomini e anche la vecchia conoscenza di Enne 2 avevano gli occhi su di lui; dal momento in cui egli aveva chiesto dove si riunisse il tribunale aspettavano; e ora si guardarono per la terza volta l'un l'altro. Chiese Occhi di Gatto:

«Non è più rischioso?»

«Lo è nello stesso modo» Enne 2 rispose. «Ma è più facile. Non lo prevedono. Li prenderemo di sorpresa, li stermineremo, e forse avremo anche meno perdite.»

«Sì» disse la vecchia conoscenza.

«Come pensi di fare?» Baffi Grigi domandò.

«Andare in due automobili» disse Enne 2. «Il tribunale sarà nella sala al primo piano. Due uomini ogni macchina, bastano per tenere la strada e l'ingresso. Due tengono la scala. Il resto andiamo di sopra.»

«Quanti uomini in tutto?»

«Dodici al massimo. Non possiamo aver perdite prima dell'attacco. Le avremo all'atto della ritirata, se ne avremo.»

«Sì» disse di nuovo la vecchia conoscenza.

Testa Rasa si offrì di partecipare all'azione con uno dei suoi uomini migliori, ma la vecchia conoscenza disse che voleva lui quei due posti per un suo compagno e per sé.

«Cosa?» disse Baffi Grigi. «Tu?»

«Tu Gracco?» disse Occhi di Gatto.

L'uomo Gracco li fermò prima che potessero continuare.

Disse: «Questo ragazzo e io siamo vecchi amici. Vogliamo parlare dei nostri anni di confino. Vero, Enne 2?».

Discussero i particolari tecnici dell'azione, fissarono il luogo e l'ora dell'appuntamento per le automobili, e si salutarono; cominciarono, uno alla volta, ad andarsene.

«Vedrai il compagno che porterò con me» disse il Gracco a Enne 2. «Si chiama El Paso.»

«El Paso?»

«È uno spagnuolo. Era nella mia brigata.»

«Ma perché si chiama El Paso?»

«Non significa Il Pazzo. Significa passo di montagna. Il Passo.»

XXXIV. Tra le nove, ora in cui aveva inizio il coprifuoco, e la mezzanotte, gli uomini che dovevano partecipare all'azione contro il tribunale aspettarono in quattro punti diversi il momento di riunirsi e muovere all'attacco.

Di dodici che erano in tutto, tre si trovavano con le due automobili e le armi in una rimessa di una via adiacente a Porta Romana, sulla cerchia dei bastioni, quattro in una casa del bastione che da Porta Romana mette a Porta Vigentina, tre in una casa del corso che da Porta Romana va verso le officine e i binari della periferia, due, nel centro della città, all'albergo Regina di via Santa Margherita dove alloggiavano fin dal settembre molti ufficiali delle S.S. e della Gestapo.

Alle nove meno cinque, attraversato il campo minato di un gioco di bocce, il Gracco entrava nella rimessa e dava la parola d'ordine.

I due in attesa sembravano fratelli: giovani entrambi, bruni entrambi, in tuta entrambi e giacca di cuoio, senza nulla sul capo; e lo esaminarono alla luce della luna, poi, richiusa la porta, a quella delle loro lampade tascabili.

«Bravo» uno gli disse.

E guardava i fili bianchi tra i suoi capelli.

«Ma sei solo?» soggiunse. «Dovevate essere in due.»

47

«L'altro verrà più tardi» il Gracco rispose.

Andarono alle macchine, parlarono della loro capacità, della loro velocità, del modo in cui era già stata piazzata una piccola mitragliatrice nel posto accanto a quello dell'autista.

«Sistema Metastasio» disse il giovane che parlava.

Il Gracco disse che aveva dei dubbi sulla convenienza di piazzare le mitragliatrici come se si potesse usarle anche in corsa, ma alle spiegazioni del giovane si persuase.

«Chi è Metastasio?» domandò.

Metastasio, le mani in tasca, guardava e mai parlava; e il giovane che parlava glielo indicò.

«È lui.»

«Tuo fratello?»

«Non siamo fratelli. Dovremmo essere gemelli, se no.»

«Perché? Siete nati lo stesso anno?»

«Stesso anno. Stesso mese. E si lavora insieme.»

«Nella lotta? O anche fuori?»

«Nella lotta e fuori. Siamo insieme nei trasporti della Montecatini.»

«Non siete né di leva né richiamati, allora?»

«No. La nostra classe era richiamata prima del 25 luglio. Ma noi avevamo l'esonero.»

«E non hanno cercato di mandarvi in Germania?»

«Non ci mandano in Germania, noi dei trasporti. Ci mettono nella Todt.»

«Non hanno cercato di mettervi nella Todt?»

«Finora no.»

Metastasio, le mani in tasca, non aveva mai detto una parola. Egli girò dall'altro lato delle macchine, e si sentì, dallo sbattere di uno sportello, che era entrato in una di esse.

«Entriamo anche noi?» disse il giovane che parlava. «Avremo meno freddo.»

Entrarono nella macchina dove non era Metastasio, e sedettero sul sedile posteriore, cercando posto per i piedi di sopra ai mitragliatori stesi sul fondo.

Perché quei due giovani avevano da fare con dei mitragliatori? I loro interessi erano semplici, pacifici; né era accaduto loro personalmente nulla che li spingesse alla disperazione. Perché prendevano parte a una lotta che esigeva di combattere con la forza della disperazione?

Il Gracco era curioso.

XXXV. I quattro che aspettavano nella casa del bastione sedevano intorno a una tavola e bevevano vino.

La casa era di uno di loro: composta della piccola stanza dov'essi sedevano, e di un'altra dove una donna stava in letto al buio con tre bambini che già dormivano.

«Mica puoi» disse al padrone di casa uno che era piccolo e tondo, nella faccia, nelle spalle, nelle mani, nelle dita «mica puoi» gli disse «tirarti dietro donna e bambini in tutti i tuoi nascondigli.»

«Dici di no?» disse il padrone di casa. «Dici che è meglio di no?»

«Non dico che è meglio, Coriolano» disse il piccolo e tondo. «Non dico che è meglio o che è peggio. Dico che non puoi. Dico che assolutamente non puoi. Anche il capitano te l'ha detto, no?»

«Ma perché è meglio no?» chiese Coriolano. «Io non capisco perché è meglio. Perché è meglio, Mambrino?»

«Accidenti!» Mambrino esclamò. «Lavora da tre mesi con noi e ancora non la vuol capire. Chi vedi di noi che stia con la famiglia? Sto con la famiglia io? Nessuno sta con la famiglia.»

«Questo è facile» disse Coriolano «per quelli che sono

giovanotti. Ma quando la famiglia è la tua donna uno come può non starci insieme, Mambrino?»

«Mica sono tutti giovanotti, da noi. Mica tu sei il solo che non sia giovanotto, Coriolano.»

«Il capitano è giovanotto. Metastasio e Orazio sono giovanotti. Zama è giovanotto. Il Foppa è giovanotto. Figliodi-Dio è giovanotto.»

«Ma Scipione non è giovanotto. È giovanotto Scipione? Non lo è, egli ha una moglie, una compagna, eppure non sta con lei. E Barca Tartaro, qui presente. Sei giovanotto, Barca Tartaro? Diglielo tu. Non hai anche tu una compagna? Non hai anche tu una famiglia?»

Barca Tartaro era il più anziano dei tre che avevano partecipato all'azione del giorno prima, e l'unico di loro che dovesse partecipare alla nuova. «L'ho» rispose.

«L'ha e tu sai che l'ha» disse Mambrino. «Tu sai che molti l'abbiamo. Molti abbiamo una compagna, molti abbiamo una famiglia...»

«Anch'io ho una compagna» disse il quarto, all'improvviso.

«Vedi?» disse Mambrino. «Anche Pico Studente ha una compagna. Molti abbiamo una compagna.»

«E anche il capitano forse ha una compagna» Pico Studente continuò.

«Senti che dice Pico Studente?» disse Mambrino. «Anche il capitano forse ha una compagna.»

«Forse sì» Pico Studente disse. «Chi può giurare che non l'abbia? Noi non sappiamo nulla del capitano. Che cosa sappiamo noi del capitano? Egli è il più vecchio di tutti noi, e magari ha tre o quattro figli, magari ha una grande famiglia.»

«Senti?» disse Mambrino. «Tutti abbiamo una compagna. Tutti abbiamo una famiglia. Ma nessuno sta con la famiglia. Diglielo tu, Barca Tartaro. Stai con la famiglia tu?»

Barca Tartaro posò vuoto il suo bicchiere.

«No» rispose. «Io no.»

Coriolano guardava i bicchieri, e giocava col dito in un po' di vino ch'era stato versato sulla tavola.

Tornò a riempire il bicchiere di Barca Tartaro. «Ma» osservò «a me spiacerebbe di non stare con la famiglia.»

«Cristo!» Mambrino gridò. «Gli dispiacerebbe di non stare con la famiglia.»

E si rivolgeva a tutti in giro.

«Che cosa crede? Crede di essere speciale?» gridò. «Credi che agli altri non dispiaccia?»

Si rivolse a Barca Tartaro.

«Diglielo tu, Barca Tartaro. Non ti dispiace di non stare con la tua famiglia?»

Di nuovo Barca Tartaro posò vuoto il suo bicchiere. «O bestia!» esclamò.

«Ma io» disse Coriolano.

E di nuovo tornò a riempire il bicchiere di Barca. Disse: «Io non so».

XXXVI. Coriolano era un uomo semplice: aveva una faccia aperta e buona, e spesso diceva: «Io non so».

Ma anche Mambrino aveva una faccia buona, l'aveva tonda e buona. E Barca Tartaro l'aveva ferma e buona. Pico Studente l'aveva acuta e buona. Tutti questi uomini erano semplici, erano pacifici, semplici, e i due giovani delle macchine, Metastasio e Orazio, erano come loro.

Essi avevano, ognuno, una famiglia: un materasso su cui volevano dormire, piatti e posate in cui volevano mangiare, una donna con cui volevano stare; e i loro interessi non andavano molto più in là di questo, erano come i loro discorsi.

Perché, ora, lottavano?

Perché vivevano come animali inseguiti e ogni giorno esponevano la loro vita? Perché dormivano con una pistola sotto il cuscino? Perché lanciavano bombe? Perché uccidevano?

Gracco era curioso degli uomini: voleva conoscere il perché delle loro cose.

«È la prima volta» domandò al giovane Orazio «che prendi parte a un'azione?»

«La prima volta? Non è la prima volta.»

«Non è la prima volta?»

«È la quinta volta.»

«Ma guarda!» il Gracco esclamò. «Sei vecchio, allora.»

«Sono uno dei più vecchi del nostro gruppo.»

«Quando ci sei entrato?»

«Quando c'era il capitano che è morto. Quando il gruppo si è costituito.»

«Anche Metastasio?» il Gracco chiese.

«Anche lui. Siamo stati sempre insieme.»

«Lo avete deciso insieme di entrarci?»

«Sì. Lo abbiamo deciso insieme. Metastasio lo ha detto, e subito lo abbiamo deciso. Lo abbiamo deciso insieme.»

«Ma perché?» il Gracco chiese.

Nella macchina al buio Orazio fece un movimento.

«Come perché?»

«Perché lo avete deciso? Per quale motivo?»

«Mah!» Orazio disse.

«Vi ci ha spinto qualcuno?»

«No» Orazio rispose. «Nessuno...»

«Dunque lo avete scelto voi.»

«Di metterci in questo gruppo? Noi lo abbiamo scelto.»

«Ma perché lo avete scelto?»

«E dài!» disse Orazio.

Di nuovo fece un movimento nella macchina. «Tu non lo sai perché tu lo hai scelto?»

«Io lo so» il Gracco disse. «Io ho il mio motivo.»

«E lo stesso motivo abbiamo noi »

XXXVII. Nella casa del corso che da Porta Romana va verso i campi, tra opifici e scali di ferrovia, c'era Enne 2 con Scipione e con Foppa.

Anche Scipione e Foppa erano uomini semplici, pacifici. Scipione aveva moglie e figli, Foppa aveva forse una ragazza, un tempo andava tutte le sere al cinematografo, e avevano entrambi la faccia buona.

L'avevano ferma, tranquilla, e nella fermezza buona. La tenevano sollevata guardando Enne 2 che mangiava.

Egli, fino alle nove era stato in giro per i preparativi dell'azione; non aveva potuto mangiare; e arrivando aveva dovuto chiedere: «Potrei mangiare qualcosa?».

La casa era di una compagna; non di Scipione né di Foppa; e lei, maestra in una scuola di sobborgo, grande e grassa, subito aveva messo fuori quello che aveva: due uova.

«Perbacco!» aveva detto. «Ma non c'è pane.»

Enne 2 mangiava fritte le due uova, senza il pane.

«Come fai a mangiarle senza pane?» Scipione gli chiese.

Guardavano, Foppa e lui, il padellino, guardavano la faccia di Enne 2, poi si guardavano l'un l'altro. Soggiunse Scipione: «Meglio pane senza uova che uova senza pane».

«Perché?» il Foppa disse. «Io preferirei uova senza pane, piuttosto che pane senza nulla.»

«Io no» disse Scipione. «Se dovessi scegliere tra pane solo e uova sole io sceglierei pane solo.»

«Invece io sceglierei uova sole» disse il Foppa.

«Tra il pane da solo» Scipione disse «e qualunque altra cosa da sola io sceglierei sempre il pane.»

Disse il Foppa: «Io sono tutto il contrario».

«Sceglieresti qualunque altra cosa?» disse Scipione.

«Al posto del pane solo?» il Foppa disse. «Oh sì! Sceglierei sempre qualunque altra cosa.»

«Anche aringa arrostita?»

«Anche aringa arrostita.»

«Anche formaggio gorgonzola?»

»Anche formaggio gorgonzola.»

Disse Scipione: «Hai gusti strani».

«No» il Foppa disse. «Io scelgo quello che è più nutritivo.»

Scipione sollevò gli occhi sulla ragazza grassona, vide che la ragazza grassona rideva, e guardò Enne 2 che sorrideva.

«Madonna!» esclamò. «Che cosa c'è di più nutritivo del pane.»

«Tutto» disse il Foppa. «Tutto è più nutritivo del pane.»

Scipione si rivolse alla ragazza grassona.

«Lo senti?» esclamò.

«Ah! Ah! Ah!» disse la grassona.

«Dice che tutto» esclamò Scipione «è più nutritivo del pane!»

«Sicuro» disse il Foppa. «Qualunque cosa.»

«Anche» Scipione esclamò «l'aringa arrostita?»

«Come no?» rispose il Foppa. «Anche l'aringa arrostita.»

«Anche il formaggio gorgonzola?»

«Anche il formaggio gorgonzola. Come no? Anche il formaggio gorgonzola.»

«E perché allora» Scipione gridò «non dici anche i bachi da seta?»

«Credi che non potrei dirlo?» rispose il Foppa. «Potrei dirlo.»

«Ah! Ah! Ah! Lo dice» disse la grassona.

«Posso ben dirlo» il Foppa continuò. «Per chi li mangia sono più nutritivi del pane. Come no?»

«Ma nessuno li mangia» disse Scipione. «E questo prova che non lo sono.»

«Nessuno li mangia?» il Foppa esclamò. «In Cina li mangiano. In molti posti li mangiano.»

«Queste sono fandonie» disse Scipione.

«Non sono fandonie. Io ho visto un cinese che li mangiava, al cinematografo.»

«Io un cinese l'ho veduto che mangiava pane e nient'altro.»

«L'avrai veduto qui a Milano. I cinesi che sono in Cina nemmeno lo conoscono il pane.»

Rise la grassona. «Ah! Ah!»

«Dovresti dire» disse Scipione «i cinesi che sono al cinematografo.»

«Ah! Ah! Ah!» disse la ragazza grassona.

«Al cinematografo» il Foppa disse «vedi i cinesi come in Cina.»

«Davvero?» disse Scipione. «È più nutritivo del pane anche il cinematografo?»

«Certo che lo è» il Foppa disse. «Tra pane e cinematografo io sceglierei sempre il cinematografo.»

XXXVIII. Essi avevano la voce tranquilla e buona, e questi erano i discorsi loro, come i bravi soldati li fanno prima della battaglia.

«Non volete bere?» Enne 2 chiese loro.

«Bevete! Bevete!» disse loro la grassona.

Ma i bravi soldati vanno a una battaglia dove la morte è a somiglianza di loro, brava come loro, ed essi invece andavano a una battaglia dove la morte non era affatto brava.

I bravi soldati hanno davanti altri bravi soldati. Combattono contro uomini che sono anch'essi uomini, anch'essi pacifici e semplici. Possono darsi prigionieri. Possono sorridere se sono catturati. E poi, i bravi soldati hanno dietro tutto il loro paese, con tutta la gente e tutte le cose, le città, le ferrovie, i fiumi, le montagne, il foraggio tagliato e il foraggio da tagliare; e se essi non tornano indietro, se vanno avanti, se uccidono, se si lasciano uccidere, è il loro paese che li costringe a farlo, non sono proprio essi a farlo, lo fa il loro paese, e a loro è possibile, molto naturalmente, senza sforzo, restare semplici e pacifici anche durante una battaglia, e prima della battaglia parlare di bachi da seta e cinematografo.

Disse Coriolano nella casa del bastione:

«Io non so. Mi sembra che non sarei capace di nulla se non avessi mia moglie con me.»

«Questo può sembrare» Mambrino disse. «A chi non può sembrare? A chiunque può sembrare.»

«Mah!» disse Coriolano. «Io non so.»

«Non sai! Non sai!» Mambrino disse. «Tu sempre non sai.»

«Io non so» disse Coriolano.

Questi uomini non avevano dietro niente che li costringesse, niente che prendesse su di sé quello che loro facevano. Restava dentro a loro quello che loro facevano.

Come accadeva che fossero semplici e pacifici anche loro? Che non fossero terribili?

Il Gracco era curioso, e se lo domandava.

Perché, se non erano terribili, uccidevano? Perché, se erano semplici, se erano pacifici, lottavano? Perché, senza aver niente che li costringesse, erano entrati in quel duello a morte e lo sostenevano?

XXXIX. «È anche perché vorrei sposarmi presto» disse Orazio.

«Come? Come?» il Gracco chiese.

«C'è una ragazza che voglio sposare.»

«Ti sei messo in questa lotta perché vuoi sposare una ragazza?»

«Non dico questo» disse Orazio. «Ma è un pezzo che voglio sposarla» disse. «Vorrei che finisse presto, e sposarla.»

«E ti sei messo nella lotta per questo?»

«Io non dico questo. Chi dice questo?»

«Dimmi tu che cosa dici.»

«Dico» disse Orazio «che più presto finisce e più presto è finita.»

«Ah, ecco» il Gracco disse.

Egli era curioso degli uomini, domandava sempre, ma mai trovava l'ultimo perché delle loro cose. Tirò fuori, nel buio della macchina, le sigarette.

«Vuoi fumare?»

«Altro che! Ne hai una anche per Metastasio?»

«Ne ho una anche per Metastasio.»

Orazio aprì lo sportello e chiamò, verso l'altra macchina:

«Ehi Metastasio!»

Metastasio si affacciò dalla sua machina. «Eh?»

«Vuoi fumare?» Orazio gli chiese.

Metastasio ritirò la sua testa.

«Ehi Metastasio!» chiamò Orazio, di nuovo.

«Non sfottere» gridò dalla sua macchina Metastasio.

E Orazio disse al Gracco: «Non ci crede».

Egli ridacchiava; si divertiva. «Ti dico sul serio» gridò. E tra sé ridacchiava. «Finiamo in un giorno la nostra razione» disse al Gracco «e tutto il resto della settimana siamo senza.»

Si alzò e scese dalla macchina.

«Non ci crede» soggiunse. Poi, le sigarette di Gracco in mano, andò verso la macchina dov'era Metastasio. «Ehi Metastasio!»

XL. Dei due che aspettavano all'albergo Regina, ormai l'albergo delle S.S., in via Santa Margherita, uno, detto Figlio-di-Dio, sedeva su una sedia, in un corridoio, con un grembiule a righe, di facchino d'albergo, davanti.

Suonò un campanello.

Figlio-di-Dio si alzò in piedi: un uomo piccolo e magro, la faccia magra, e il grembiule lungo fin molto più giù delle ginocchia. Egli andò al quadro dei campanelli e guardò il numero, andò alla camera del numero, bussò, entrò.

«Qua» gli disse qualcuno che non si vedeva. «Qua, Donato.»

Ma Figlio-di-Dio sapeva chi era e dov'era, si avvicinò ad un angolo della grande stanza, dall'altra parte del letto e del tavolo.

«Qua» di nuovo disse l'uomo.

Era un ufficiale tedesco, e stava chino dinanzi a un grande frigorifero aperto. «Ora di dar loro da mangiare» disse a Figlio-di-Dio.

«Devono mangiare?» chiese Figlio-di-Dio.

«No» disse l'ufficiale tedesco. «Non devono mangiare.»

Si rialzò, si asciugò due dita in un asciugamani, buttò l'asciugamani in terra, e indicò il frigorifero pieno di carne cruda, soggiunse:

«Tu dài loro solo tre piccole ossa. *Drei kleine Knochen.* Uno per uno.»

«Per aguzzarsi» chiese Figlio-di-Dio «l'appetito?»

«Per aguzzarsi appetito» l'ufficiale tedesco rispose.

«Se lo aguzzano da due giorni» disse Figlio-di-Dio. «L'hanno molto aguzzo.»

«Molto aguzzo? Ah sì? Molto aguzzo?» disse l'ufficiale. «Devono averlo» disse «molto aguzzo.»

E domandò: «Come sono con te? Sono feroci?».

«Così così» Figlio-di-Dio rispose.

XLI. Egli aveva preso le tre ossa, le aveva ripulite di ogni residuo di carne, e uscì dalla camera, si fermò, nel corridoio, dietro a una porta. «Gudrun!» chiamò, di dietro la porta.

Un ringhio gli rispose, ed egli socchiuse la porta, gettò dentro un osso, passò alla porta accanto.

Ora, da quella e dalla successiva, veniva un furioso abbaiare. Figlio-di-Dio gettò un osso, appena socchiusa la porta, anche nella seconda stanza; ma alla terza accese la luce ed entrò.

«Blut! Kaptän Blut!» chiamò.

Un enorme cane bianco smise, al suo ingresso, di abbaiare, e fece correndo il giro della stanza, saltò sul letto, vi si accovacciò.

«Sta bene il capitano?» Figlio-di-Dio gli chiese. «Non ha bisogno di nulla?»

«Uh!» il cane rispose.

Figlio-di-Dio gli diede l'osso, ma insieme tirò fuori di tasca un pezzo di pane. «Questo, Blut, te lo manda il tuo superiore, e questo te lo porto io» gli disse.

«Il tuo superiore» gli disse «vuole che tu abbia appetito.

A che scopo? Io lo so e tu lo sai. Per il tuo e il suo mestiere, Blut. Lo sai a che scopo?»

«Uh!» il cane rispose.

«Sì, Kaptän Blut» disse Figlio-di-Dio.

E s'inchinò.

«Ma io» soggiunse «non desidero che tu abbia appetito. Sei un simpatico cane e amerei molto vederti cambiare mestiere. Non puoi cambiarlo?»

«Uh!» rispose Kaptän Blut. «Uh! Uh!»

«Non puoi?» Figlio-di-Dio continuò. «Non puoi guadagnarti onestamente la vita? Sei ancora in tempo, Blut. Scappa, e vai in campagna. Vai a custodire i campi, da un contadino. Vai a guardare le pecore. O vai in un circo equestre e cammina sul filo. O mettiti con un vecchio cieco e guida il suo piede.»

«Ah ah!» Blut rispose.

«Ridi?» disse Figlio-di-Dio. «Saresti un cane onorato, e così invece che sei? Un cane poliziotto, uh!»

«Uh!» disse il cane.

«Sì, uh!» disse Figlio-di-Dio.

Il cane Blut si mise a sedere, e levò in alto il muso, lanciò un ululato.

«Oppure» Figlio-di-Dio gli disse. E gli si avvicinò all'orecchio, gli parlò all'orecchio.

«No?» gli chiese.

XLII. L'altro era un uomo alto e scuro, soprattutto scuro e vestito bene. Alle dieci e un quarto scese dal secondo piano, e nel corridoio del primo s'incontrò con l'ufficiale tedesco che chiamava sempre, per i suoi cani, Figlio-di-Dio.

Si parlarono in tedesco.

«Due giorni che non la vedo, Ibarruri. Che le succede?»

«Niente, capitano Clemm. Il puro niente. Le succede qualcosa a *usted*?»

«Ho perduto mille marchi.»

«Anch'io ho perduto un poco. *Y después?* E dopo?»

«Vinto ottantamila lire.»

«Ho anch'io un poco vinto. E dopo?»

«Abbiamo fatto una grande cena.»

«Ah, sì? Io ho fatto un pranzo. E dopo?»

«Dopo? Ecco. Dopo...»

«*Mujeres?*»

«Naturalmente. C'è una ragazza della Scala...»

«E dopo, capitano Clemm?»

«C'era anche la ragazza Linda. Le più belle gambe di Milano.»

«Quella che balla sulla tavola?»

«Quella, Ibarruri. Non ha le più belle gambe di Milano?»

«Ha ballato anche sulla mia tavola. *Y después*, capitano Clemm? E dopo?»

«Dopo... Non è abbastanza? Ho fatto anche il mio dovere.»

«Ehm!» disse El Paso.

«Ehm? Come ehm?»

«Ehm!»

«Ehm?»

Sorrise El Paso. «*Siga usted bien*. Io sono atteso.»

«Lei resta con me, Ibarruri. Io non la lascio andare.»

Il capitano Clemm prese sottobraccio El Paso. «Venga con me. Perché non resta con me? Ho del whisky arrivato dal fronte di Cassino.»

«Sono atteso, capitano Clemm.»

«Le ritiro il lasciapassare fino a mezzanotte.»

«Non può ritirare il lasciapassare a un diplomatico spagnuolo.»

«Ma resti! A mezzanotte l'accompagno io.»

«Mi accompagna lei, capitano?»

«L'accompagno con la mia macchina. A mezzanotte sono di servizio.»

«Ehm!» disse El Paso.

Il capitano Clemm lo portò nella sua camera e suonò il campanello.

«Sifone!» disse a Figlio-di-Dio.

XLIII. El Paso e Figlio-di-Dio non si conoscevano per quello che erano.

El Paso era arrivato in novembre all'albergo Regina quando si aspettava un nuovo consigliere d'ambasciata spagnuolo che doveva fermarsi, con speciali incarichi, a Milano. Per dieci giorni di seguito, dal 15 al 25 novembre, il comandante della piazza aveva telefonato ogni giorno al capitano Clemm: «È arrivato questo Ibarruri?».

«Non è arrivato» rispondeva Clemm.

Ma il 26 novembre aveva risposto: «È arrivato».

«Si faccia dare subito le carte» aveva detto il comandante.

«Non le ha» aveva risposto Clemm.

«Non le ha portate?» aveva gridato il comandante.

«Non ha portato niente» Clemm aveva risposto.

«Quei pazzi!» aveva gridato il comandante. «Cambiano idea ogni quindici giorni.»

«Cambiano politica» Clemm aveva risposto.

Il nominato Ibarruri non si era più mosso dall'albergo delle S.S., beveva con Clemm, giocava con Clemm, partecipava ai festini di Clemm, Figlio-di-Dio lo vedeva e nessuno sapeva che fosse il luogotenente di Gracco. Con gli ufficiali tedeschi, Clemm, Sonnenbaum, Kriegsbaum, diceva di non credere alla vittoria di Hitler, e diceva loro: «Sono i vostri ultimi giorni. Perché uccidete? Non dovreste farlo. Sono i vostri ultimi giorni. Dovreste chiamare il confessore».

Ridevano i tedeschi, e non per le parole, ma per la faccia funebre di Ibarruri quando le diceva.

«Magnifico, Ibarruri! Straordinario!» dicevano.

Solo se erano ubriachi si arrabbiavano un poco. Diceva allora Clemm:

«Se sono i nostri ultimi giorni sono gli ultimi giorni di tutto il mondo. Per ogni tedesco che muore noi uccidiamo dieci persone. Siamo novanta milioni di tedeschi. Prima di morire in novanta milioni noi dovremmo uccidere novecento milioni di persone. Ci sono nel mondo novecento milioni di persone? Non ci sono. La Germania non può morire, Ibarruri.»

Diceva Ibarruri:

«Non ci sono nel mondo novecento milioni di persone? Ci sono. Quattrocento milioni sono i cinesi.»

«I cinesi non contano» diceva Clemm. «Che cosa contano i cinesi?»

«Trecento milioni sono gli indiani» diceva El Paso-Ibarruri.

«E contano gli indiani?» diceva Clemm. «Gli indiani non contano.»

Così continuavano e infine El Paso diceva: «Ehm!».

«Ehm? Come ehm?» Clemm diceva.

Figlio-di-Dio sorrideva.

E se non era ubriaco Clemm esclamava: «Magnifico Ibarruri! Straordinario!». Diceva: «Sono i nostri ultimi giorni? Questa è una ragione per divertirci di più. Venga Ibarruri».

«Come possiamo divertirci?» Ibarruri diceva.

Egli diceva:

«Non succede mai niente. Come divertirci senza niente?»

Bevevano, e Ibarruri diceva che non era niente. «Che cos'è questo? È bere. Non è niente.»

Giocavano a carte, perdevano, vincevano, e Ibarruri diceva che non era niente. Facevano festini, e Ibarruri diceva che non era niente. Donne ballavano sulle loro tavole, e Ibarruri diceva che non era niente.

«Che cos'è questo?» diceva. «Niente. Il puro niente.»

I tedeschi a volte si arrabbiavano. «Come niente? È tutto niente?»

Ma El Paso-Ibarruri prendeva parte a quella vita loro, perciò più spesso ridevano.

«*Dispense la molestia*» egli diceva.

«Macché» gridavano. «Resti con noi. Mangi con noi.»

Egli parlava tedesco, e loro avevano imparato qualche frase di spagnuolo. «*Tome usted asiento*» gli dicevano.

Figlio-di-Dio vedeva.

XLIV. Alle undici e mezzo, finito il suo turno di facchino all'albergo, Figlio-di-Dio si recò in bicicletta alla casa della ragazza grassona. Trovò Enne 2, Scipione e Foppa che uscivano.

«È tardi, capitano?» disse. «Lascio la bicicletta e vengo.»

Ma Enne 2 gli disse di andare in bicicletta davanti a loro, lui che aveva il lasciapassare, per segnalar loro le pattuglie.

«Vado» disse Figlio-di-Dio.

Camminarono nella viva luna, e il coprifuoco era sulla città un immenso ragno, con zampe sottili dentro al chiarore della luna. Camminarono d'albero in albero, nelle lunghe ombre loro, e a tratti in un'ombra si fermavano, le mani in tasca sulle rivoltelle, poiché erano armati, e pronti ad accettare battaglia se li avesse fermati una pattuglia. Tra le zampe del coprifuoco, camminarono d'albero in albero, di zampa in zampa, poi attraversarono verso l'ombra delle case, e lì nell'ombra incontrarono Figlio-di-Dio in bicicletta che tornava.

«Che c'è?» Enne 2 gli chiese.

«Gente che parla, a Porta Romana.»

«E va da che parte?»

«Da nessuna parte. Sono fermi sulla cantonata.»

«Quale cantonata?»

«Quella dov'è il caffè. Verso Porta Vigentina.»

Enne 2 pensò un momento. Dovevano andare verso Porta Vittoria, e bastava tagliar dentro, una o due strade prima del viale. «Attraversiamo di nuovo» disse. Poi chiese a Figlio-di-Dio: «Ti è parso che fossero molti?».

«Ho sentito tre voci» Figlio-di-Dio rispose. «Ma dovevano essere una decina.»

Nella strada senz'alberi dove tagliarono dentro non c'era ombra né da una parte né dall'altra delle case: la luna la riempiva fino ai tetti.

«Vai di nuovo avanti» disse Enne 2 a Figlio-di-Dio. E gli disse quale via seguire.

Dalla cantonata di Porta Romana giungevano le voci della pattuglia ch'era ferma là, parlando forte, ma anche si sentivano cani che abbaiavano e rumori di automobili, rumori di camion. Alla prima svolta piegarono di nuovo verso il grande viale di circonvallazione. E nel viale, come vi furono, trovarono luna viva su entrambi i lati, ma anche i grandi alberi neri e le alte siepi che correvano nel mezzo tra le due linee del tram.

«Dammi la bicicletta» disse Enne 2 a Figlio-di-Dio. «Vado a posarla e vengo con le macchine.»

Erano in una delle piccole strade che dal viale salivano verso il bastione; Enne 2 stava per muoversi, ma una grande automobile si fermò sopra a loro nella luna. Un uomo alto ne scese, parlò in tedesco con quelli dentro, e s'udì sbattere lo sportello, la macchina ripartì, l'uomo rimase solo.

Egli guardò le case sotto a sé, vide che c'erano piccoli orti, vide che tra gli orti c'era un gioco delle bocce, e scese il pendio del bastione in quella direzione.

Quando fu in basso quattro uomini armati lo fermarono.

«Ho il lasciapassare» egli disse.

«Non importa» disse Scipione. «Silenzio, e mani in alto. Da questa parte.»

«Oh!» egli esclamò. «*Está bien.*»

E d'un tratto quasi rideva. Vide Figlio-di-Dio, e di nuovo rideva, e Figlio-di-Dio lo vide, parlò all'orecchio di Enne 2.

«È lo spagnolo delle S.S.» gli disse.

Enne 2 chiese allo spagnolo: «Come si dice pazzo in spagnolo?».

«Si dice *loco*» lo spagnolo rispose.

«Non si dice El Paso?» chiese Enne 2.

«Oh no!» lo spagnolo rispose. «El Paso è il passo. È il passo nei monti.»

«Non altro?»

«Anche una città nel Nuovo Messico.»

«E niente d'altro.»

«Anche un tale che Franco ha condannato a morte.»

«Ragazzi» disse ai suoi uomini Enne 2. «Ho idea che quest'uomo sia dei nostri. Ma tenetelo d'occhio lo stesso fin quando torno.»

Dieci minuti dopo gli uomini ch'erano nella macchina dov'era El Paso fumavano sigarette messicane e ridevano.

«Diceva sempre ehm» disse nell'altra Figlio-di-Dio. «Pure non avrei mai pensato che fosse dei nostri. Mi sarei stupito meno se avessi trovato che Kaptän Blut era dei nostri.»

Disse: «Ma può darsi che anche Blut sia dei nostri».

XLV. Le macchine percorsero il bastione che da Porta Romana va alla Vigentina, e raccolsero i quattro che avevano aspettato nella casa di Coriolano. Poi si divisero.

Una continuò verso Porta Ludovica, e di là risalì il corso Italia diretta al quartiere dove abitava il nuovo presidente del tribunale, tra piazza Missori e Porta Vittoria; l'altra, lasciato subito il bastione, andò per le strade fuorimano verso il corso di Porta Vittoria.

Forti pattuglie stavano, nella luna, ferme a tutti gli angoli delle strade che, dall'interna cerchia dei navigli, portano alla cerchia più esterna dei bastioni, tra Porta Venezia e Porta Romana; e, dalle undici e mezzo, automobili e camion passavano di frequente davanti a loro. Gli uomini parlavano ad alta voce, fumavano, ridevano, a volte sparavano anche in aria, o anche si chiamavano da una strada a un'altra: «Ehi, Gordini!», «Ehi, Lunardi!», «O, Piè!», «Schmidt!», «Riemerschmidt!» come i cani si chiamano, nel freddo inverno, in una fredda notte di luna.

Nei molti raggi dei politici alla prigione di San Vittore, i detenuti erano svegli tutti, sapevano che il tribunale si riuniva per scegliere tra loro quaranta uomini da portare all'Arena e fucilare prima di giorno, e stavano in ascolto su quei lontani rumori, guardavano, nei vani delle finestre, la luce della luna.

«Tre» sentivano gridare.

«Cinque!»

«Quattro!»

«Nove!»

«Sette!»

«Nove!»

«Quattro!»

«Sette!»

«Nove!»

Uomini giocavano a morra, sotto la luna, nel primo cortile di San Vittore. E anche al Largo Augusto, all'altro lato della città, verso Porta Vittoria, uguali voci si misero a gridare gli stessi numeri.

«Ci si vede talmente che si potrebbe leggere il giornale» disse uno.

«Che si potrebbe giocare a carte» disse un altro.

«Meglio ai dadi» disse un terzo.

«Chi ha un mazzo di carte?» il primo disse. «Chi ha un paio di dadi?»

«Giochiamo» disse un quarto «a morra.»

Si chinarono, due, sulle gambe, e cominciarono a scagliar fuori dita dalle mani.

«Cinque!»

«Quattro!»

«Nove!»

«Quattro!»

«Cinque!»

«Nove!»

«Sette!»

«Nove!»

«Otto!»

«Nove!»

XLVI. Una grande automobile come tante altre ch'erano passate sterzò, frenando, in vicinanza di loro. Era piena di facce e fucili mitragliatori, e dalla faccia ch'era a destra del volante, dove non batteva la luna, venne, calma, fredda, attraverso il vetro abbassato, una domanda agli uomini che giocavano.

«Tutto bene qui?»

Gli uomini si erano rialzati in piedi. Erano confusi, e non rispondevano. Poi uno rispose, un graduato:

«Tutto bene, comandante.»

Il dialogo proseguì con voce irritata da parte di chi era stato chiamato comandante, e in tono sempre più colpevole da parte del graduato.

«Che cosa fate allora qui? Chi vi ha detto di stare qui?»

«Ce l'ha detto il comandante, comandante.»

«Ma ora sono passati tutti. Non sono passati tutti?»

«Sì, comandante. Sono passati tutti.»

«E perché restate qui? Gli ordini non sono di restare qui. Dov'è questo comandante?»

«È in motocicletta che gira, comandante.»

«E voi qui come una banda di zingari! Gli ordini non sono di restare qui.»

La macchina ripartì senza che venisse detto quali fossero gli ordini, ma gli uomini, una quindicina, si ritirarono dal Largo Augusto, s'incamminarono umiliati non sapendo dove. Fu dalla parte del Verziere che andarono, e sull'angolo della chiesetta di San Bernardino alle Ossa incontrarono una pattuglia che scendeva.

«Via! Via!» disse loro il graduato. «Ci sono ordini di non stare qui!»

E insieme andarono, non sapendo dove, dalla parte dell'Ospedale Maggiore.

La macchina, invece, era andata in giù, verso Porta Vittoria.

All'imbocco della breve strada dov'era il Gruppo Rionale Corridoni, i militi che lì sostavano, parte su un camion, parte a terra, fischiettando e ridendo, la videro arrivare e, serrando i freni come con ira, fermarsi in mezzo a loro mentre qualcuno che aveva messo fuori la testa dal finestrino chiedeva dell'ufficiale.

«Chi è qui l'ufficiale? Venga l'ufficiale.»

Accorse un tenente.

«Siete voi? E lasciate cantare i vostri uomini. Perché lasciate cantare i vostri uomini?»

Il tenente si scusò, e gli uomini, una cinquantina, erano ammutoliti.

«Che cosa fate fermi qui? Ormai sono tutti dentro. Chi vi ha detto di star fermi qui?»

«Ce l'ha detto il comandante...»

«Che comandante? Cane Nero? Diteglì da parte mia che si merita di chiamarsi come lo chiamano...»

«Sì, comandante.»

«Comandi la sua Muti, lui. Non siete della G.N.R., voi? Gli ordini non sono di restare qui.»

«Sì, signor questore.»

XLVII. L'automobile ripartì, e il tenente fece salire tutti gli uomini sul camion.

«Dove dobbiamo andare?» l'autista chiese.

«Mah!» rispose il tenente. «Perlustriamo i viali.»

In piazza Cinque Giornate, a Porta Vittoria, un uomo in motocicletta, con un grande cappello sul capo, vide il camion infilare il viale verso Monforte, e lo inseguì, lo raggiunse.

«Dove andate?»

Una grande automobile che veniva dalla parte opposta attraversò i binari del tram, e si fermò a portata di voce del camion.

«Chi vi ha mandati di qua?» gridò dall'automobile qualcuno.

«Il questore! Credo che fosse il questore» il tenente rispose.

Di dentro all'auto un altro parlò in tedesco, ad alta voce:

«*Sag ihnen dass es kein Questore gibt... Und frage von welcher seite es weggefahren ist.*»

«Il questore?» gridò la prima voce. «Che questore! Hanno ammazzato un ufficiale tedesco e scappano. Da che parte è andata?»

Dall'altro lato dei binari un camion carico di uomini correva in direzione di Porta Romana, e invano fu gridato loro di fermarsi, non si fermò.

«La macchina andava verso Porta Romana» disse l'uomo in motocicletta. «L'ho incontrata io.»

«*Dann weiter!*» gridò la voce tedesca dall'automobile.

«Allora dietro!» gridò la voce italiana. «Dateci due uomini, e seguite il viale. Noi faremo i bastioni.»

Due militi scesero dal camion, mentre l'uomo in motocicletta partiva.

«Salite sulla pedana» gridarono dall'automobile. «Uno da una parte e uno dall'altra.»

Volò via l'automobile, con due militi appesi fuori, uno da una parte, uno dall'altra, e gli uomini delle pattuglie ch'erano sul bastione tra Monforte e Porta Vittoria la videro venire avanti di pattuglia in pattuglia, sentirono l'uno o l'altro dei militi che gridava: «Passata una macchina così e così? Hanno ammazzato un ufficiale tedesco e scappano. Tutti a Porta Romana».

XLVIII. Davanti all'edificio della Corridoni erano ferme, lungo l'opposto marciapiede, quattro o cinque automobili, e una decina di militi, metà di loro autisti, stavano in cappotto sull'ingresso.

Di là dalla vetrata chiusa, nella sala del corpo di guardia, cinque o sei ragazzi biondi in uniforme nera vociavano tra loro lietamente, e un milite che sedeva dietro un tavolo sembrava beato di ascoltarli, vedere com'erano graziosi nei loro movimenti, sentire com'era armonioso il tedesco in bocca loro. Essi mangiavano tavolette di cioccolato, solo uno non ne mangiava, stava in disparte, appoggiato al muro e serio nel volto, e un altro, di statura il più piccolo, e il più chiassoso, il più biondo, tondo nel sedere, andava continuamente da lui con una nuova tavoletta di cioccolato, gliela offriva e, come quello scuoteva il capo rifiutando, tornava indietro nel gruppo e diceva qualcosa per cui tutti ridevano, mangiava il cioccolato lui in mezzo al gran ridere di tutti.

Il milite dietro il tavolo, quasi un vecchio coi capelli bianchi alle tempie, rideva sempre insieme a loro. Ma solo lui dei militi stava dietro a loro, era incantato di loro; gli altri, un paio con la testa da morto della Muti sul basco nero, e tre nel grigioverde della G.N.R., seguivano invece quello che accadeva tra un settimo milite, un tedesco in casco, e un cane.

Il cane aveva un testone da bestia dei boschi, nero e bianco di pelo, e sembrava fosse del tedesco che, seduto su una panca e appoggiato coi gomiti sulle cosce, piegato in avanti, si passava dal cavo di una mano nel cavo dell'altra una lunga catenella di metallo. Il tedesco era un uomo anziano, il milite era pure un uomo anziano, e il milite mangiava pane e formaggio, aveva cominciato a gettare piccoli pezzi di pane all'enorme cane.

Ma il cane non mangiava il pane, lo annusava e lo lasciava in terra.

«Perché?» il milite diceva. «Perché non lo mangia? Non lo mangia.»

Continuava a gettargli piccoli pezzi di pane, e il cane li annusava tutti, li lasciava tutti in terra. C'erano già otto o nove piccoli pezzi di pane in terra, tra il tedesco e il milite.

«Perché?» il milite diceva. «Non mangia il pane. Perché non lo mangia?»

Gettò al cane un piccolissimo pezzo di formaggio, e il cane lo annusò, e anche mugolò annusandolo, ma lo lasciò in terra.

«O che?» il milite disse. «Nemmeno il formaggio mangia?»

Egli alzò gli occhi sugli altri che stavano intorno a guardare.

«Perché non lo mangia?» disse.

E gettò al cane un pezzo meno piccolo di formaggio.

«Perché?» chiese al tedesco.

«*Warum?*» suggerì uno dei due con la testa di morto.

«*Warum?*» chiese al tedesco il milite.

XLIX. Il tedesco aveva una faccia grigia sotto al casco, allungò fino a terra la mano, prese il più vicino dei pezzi di pane e lo posò sopra il naso del cane.

«*Ein, zwei, drei, vier, fünf*» disse.

Al *fünf* il cane scosse il capo, lanciò per aria il piccolo pezzo di pane posato sopra il suo muso, e lo afferrò, lo ingoiò, poi rimase a guardare.

«Oh!» il milite esclamò. E chiese: «Posso farlo io?».

Raccolse da terra il meno piccolo dei due pezzetti di formaggio che già aveva dati al cane, timidamente lo posò sopra il naso del cane, e cominciò a ripetere: «*Ai, vai, drai...*».

S'interruppe. «E poi?»

Il tedesco, grigio in faccia, tolse di sopra al muso del cane il pezzo di formaggio, sollevò una mano verso il milite e contò sulle cinque dita.

«*Ein, zwei, drei, vier, fünf.*»

Disse al milite: «Contare. Contare con io».

«Sì» disse il milite. «*Ja*» disse.

E il tedesco disse, toccando il pollice: «*Ein*».

«*Ai*» disse il milite.

«*Ein, ein*» disse il tedesco.

«*Ja*» disse il milite. «*Ain.*»

Il tedesco si toccò l'indice. «*Zwei.*›

«*Vai*» disse il milite.

«*Zwei*» il tedesco disse. «*Z-wei.*»

«*Zivai*» disse il milite.

«*Drei*» disse il tedesco.

«*Drai*» disse il milite.

«*Vier*» disse il tedesco.

«*Fir*» disse il milite.

«*Fünf*» disse il tedesco.

«*Filuff*» disse il milite.

«*Fünf, fünf*» il tedesco disse.

E ricontò su tutte le dita: «*Ein, zwei, drei, vier, fünf*».

Il milite non ricontò. «Ho capito» disse. «*Ja.* Ho capito.»

Il tedesco gli diede il pezzetto di formaggio che aveva in mano. «*Versuch's einmal*» gli disse. «Provare tu.»

Il milite guardò in su gli altri intorno, era raggiante, e posò il pezzetto di formaggio sopra il muso del cane.

«*Ai*» disse. «*Ain, zivai, drai, fir, fiuff.*»

L. Nella grande sala del primo piano si stavano scegliendo, sopra una lista di trecento nomi, quaranta nominativi di uomini da tirar fuori di cella quella stessa notte, condurre in due camion all'Arena, mettere contro un muro e fucilare. Senza interrogatorio, senza difesa, senza nemmeno una concreta accusa, sulla base semplicemente di carte fornite dagli ufficiali di polizia, uno dei quali era il capitano Clemm dell'albergo Regina, si stava decidendo di togliere la vita a quaranta su trecento uomini vivi di cui non si avevano davanti che i nomi scritti sulle carte, non occhi, non facce, non loro stessi uomini vivi, e nessuno, giù nel corpo di guardia, né biondo ragazzo tedesco, né giovane o vecchio milite italiano, pensava un momento a quello che la riunione del primo piano significava, e al significato che tra poco avrebbe avuto in San Vittore, poi sopra un camion lanciato attraverso la notte della città deserta, infine sul grigio terreno dove un tempo balzava verso il cielo la felice palla delle partite di calcio, all'Arena.

Quei ragazzi biondi erano occupati completamente dalle loro tavolette di cioccolato, il milite dietro al tavolo era occupato completamente da quei ragazzi biondi, i militi intorno al cane erano completamente occupati dal cane, eppure la cosa che accadeva di sopra accadeva per via di loro, e mai avrebbe potuto accadere se tutti loro non fossero stati lì a mangiar cioccolato e giocare con un cane.

Il cane non scosse il capo, non lanciò in aria e ingoiò, al *fiuff* del milite, il pezzetto di formaggio posato sopra il suo muso; continuò paziente a guardare, mugolava guardando, e persino il tedesco sorrise nella sua faccia grigia mentre gli altri scoppiavano in una grande risata.

I ragazzi biondi, a quella risata di tante persone, si voltarono, ma continuarono il gioco loro. Avevano finito di mangiare le tavolette di cioccolato, ma dentro le tavolette di cioccolato avevano trovato delle figurine, e ora guardavano le figurine, se le contendevano, ridevano su di esse, e il piccolino dal tondo sedere cominciò ad andare dal ragazzo ch'era in disparte, con una figurina in mano.

Andava e gli offriva la figurina, quello scuoteva il capo, e lui tornava nel gruppo, e tutti ridevano.

Questo una prima volta, una seconda volta, una terza

volta; e una seconda volta il tedesco disse al cane: «*Ein, zwei, drei, vier, fünf*»; una seconda volta il cane lanciò in aria e ingoiò quello che aveva sopra il muso.

LI. Allora vi fu il rumore di una macchina che arrivava, forse di due macchine che arrivavano insieme, e un gruppo di uomini venne dentro con mitragliatori, e metà di loro corse subito su per le scale.

Fu un violento arrivo, e i militi impallidirono, i ragazzi biondi smisero di giocare, ma vi erano due militi tra gli arrivati che non erano andati di sopra, e il vecchio milite di dietro al tavolo ne chiamò uno per nome, e uno dei due con la testa da morto chiamò per nome l'altro.

«Hanno assalito una pattuglia.»

«Eh? Che cosa?»

«Hanno ammazzato un ufficiale tedesco.»

«Eh? Che cosa?»

«Siamo venuti ad avvertire il tribunale.»

I ragazzi biondi ripresero il gioco e le risa loro, il milite 'el cane riprese le sue prove col cane.

«*Ain, zivai...*»

Colpi d'arma da fuoco e rumori forti, come di calci nel ,offitto, vennero dal piano di sopra.

«Le mani in alto» gridò qualcuno dietro al gruppo del cane.

Il piccolino dei ragazzi biondi cadde mentre balzava verso il ragazzo in disparte con la rivoltella già in mano, un altro di loro cadde mentre già sparava, cadde il milite dietro il tavolo, cadde il milite che giocava col cane, cadde il cane, gli altri scapparono, una parte su per le scale, e una parte, tra essi i due con la testa da morto, per un uscio in fondo che metteva nel cortile.

LII. La battaglia si spostò nella strada.

Uomini in casco saltarono da una finestra nella strada, e una mitragliatrice aprì su di loro il fuoco da una macchina.

Gli uomini in casco lanciavano bombe contro la macchina. Ma la mitragliatrice non si lasciava avvicinare. Uno di loro cadde, altri si appostarono nel vano dei portoni, un'auto con un milite partì dall'angolo sul corso e cominciò a correre avanti e indietro disperata.

Nel largo Augusto incontrò il camion col tenente.

«Fate presto» gridò il milite. «Ammazzano tutti.»

«Che cosa?» gridò il tenente.

«Sono venuti e hanno ammazzato tutti.»

«Ma dove? Chi?»

«Dentro al Gruppo. Son venuti su e han picchiato dentro. Del tribunale non c'è più nessuno.»

«Si sono messi in salvo?»

«Sono morti tutti.»

«Oh guarda!» il tenente gridò.

Il camion riprese la marcia dietro al luogo dell'azione, ma militi, di dietro, scivolavano giù e scappavano.

«Arriveremo noi due soli» disse al tenente il milite autista.

«Che cosa?» il tenente disse.

«E mica hanno tutti i torti» disse l'autista.

«Ma che cosa vai dicendo?» il tenente disse.

«Dico che non sappiamo» disse l'autista «che cosa troviamo.»

Si sentiva il crepito degli spari. «Sentite?» l'autista disse.

«Presto» disse il tenente. «Daremo loro una lezione.»

«Chi?» l'autista disse. «Noi due a tutti loro?»

«Come noi due?» disse il tenente.

Egli si alzò e guardò dentro al camion, vide che di cinquanta uomini ne restavano meno di una trentina.

«Perdio!» gridò. E chiamò tre o quattro per nome. «Sparate su chi scappa!»

Da piazza Cinque Giornate arrivava un altro camion, e fu quasi insieme che i due camion raggiunsero l'imbocco della strada dove si sparava. Mentre vi entravano, il secondo dietro il primo, due macchine ne svoltarono fuori.

«Son loro!» il tenente gridò.

Una bomba a mano cadde ed esplose sul camion.

«Mamma mia!» un milite esclamò.

Egli credeva di essersi messo col più forte, e ora aveva questo. «Mamma mia! O mamma!» esclamò.

Anche un figlio di puttana può dire "mamma".

Ma un'altra bomba esplose tra le ruote posteriori di una delle due macchine.

«Abbiamo le gomme a terra» disse Enne 2.

Saltarono fuori in cinque, Enne 2, El Paso, Metastasio, Scipione e Barca Tartaro, e videro ch'erano già a una settantina di metri dalla strada del Corridoni, vicinissimi a un'altra strada che si apriva nel corso, dall'opposto lato. Andarono per un po' tutti insieme, e poi, mentre correvano, Enne 2 disse a Metastasio:

«Le case dei compagni qui della zona sono tutte aperte, e il compagno è nel portone. Una è in via Sant'Antonio 13. Un'altra è in via della Signora 2. Vedete di raggiungerne una, tu e Barca Tartaro.»

«Sant'Antonio 13» disse Metastasio. «Della Signora 2.»

«La parola è Ponte» disse Enne 2. «Della Signora 2, Sant'Antonio 13.»

«Ponte» disse Metastasio. «Della Signora 2, Sant'Antonio 13.»

LIII. Si divisero, e già colpi giungevano dagli inseguitori nella strada.

«Di qua» disse Enne 2 a El Paso e Scipione.

Presero per una piccola strada tra muretti, svoltarono ancora, rallentarono, andarono fino in via Lamarmora, e non si udivano più colpi da nessuna parte.

«Sono già arrivati» disse Enne 2. «Che facciamo noi?»

«Hanno smesso di sparare» disse Scipione.

«Ma ricominceranno» disse El Paso.

Andarono avanti per via Lamarmora fino al bastione, e sull'angolo dove sono le macerie di uno stabile crollato in agosto, Enne 2 disse a El Paso:

«Abbiamo due o tre posti dove riparare anche noi. Che cosa facciamo?»

«Oh!» El Paso disse.

Egli respirò profondamente dalla fredda notte di luna, e un crepitio di colpi ricominciò in altra direzione, circondò tutta la zona, e la notte in essa, la luna in essa, tra il Verziere, Porta Romana, il Mercato Nuovo Ortofrutticolo e Porta Venezia.

«Lì un incendio» El Paso disse.

Indicò, verso Porta Vittoria, un punto, e lì c'era un chiarore rosso sotto il cielo. «Dove possiamo andare il più vicino?» egli chiese.

Andarono per un cento metri, spinsero il battente di un portone, entrarono, e un vecchio operaio li condusse su per una lunga scala al buio.

Dalla finestra di un pianerottolo videro altri chiarori, altri incendi.

«Povero Foppa» Scipione disse.

Si fermarono alla finestra; guardavano gli incendi.

«Quanti uomini» El Paso domandò «abbiamo perduto?»

«Il Foppa e Coriolano morti. Pico Studente ferito.»

«Povero Foppa» Scipione disse.

Gli incendi erano quattro o cinque, erano muti incendi, di nuovo il crepitio dei colpi era cessato, e la grande città di macerie affondava come in una fossa grigia: col cerchio intorno della luna. Sempre il deserto rinasceva; sempre qualcosa, in quella città *senza di lei*, era come il deserto.

«È Cane Nero?» El Paso domandò, e indicava gli incendi.

Enne 2 non rispose, si voltò dalla finestra col viso stanco, amaro, e nel silenzio della città senza più spari, sotto la luna del deserto, si alzò il grido di muezzin dell'uomo che li cercava bruciando case.

«*Ya lo creo*» El Paso disse. «Ora dobbiamo pensare a lui.»

«Ma non adesso» disse Enne 2.

Entrò nella casa dell'operaio, ed entrò in una stanza al buio, chiuse a chiave la porta, si stese al buio in una branda che già conosceva.

LIV. *Io a volte non so, quando quest'uomo è solo – chiuso al buio in una stanza, steso su un letto, uomo al mondo lui solo – io quasi non so s'io non sono, invece del suo scrittore, lui stesso.*

Ma, s'io scrivo di lui, non è per lui stesso; è per qualcosa che ho capito e debbo far conoscere: e io l'ho capita; io l'ho; e io, non lui, la dico.

Ora so ch'egli vuole la sua infanzia. Chi può dargliela se non io? È la mia. C'è quella di lei ch'egli vuole insieme. E chi anche questa può dargliela? Anche questa è mia.

Ma egli è di già nella sua infanzia. È di dieci anni, con gli occhi sbarrati al buio: un bambino.

«E Berta?» gli chiedo.

Berta aveva tredici anni. Era in un collegio.

«Vogliamo andare da lei?»

Una sua compagna, nel collegio, è morta; lei di tredici anni ha scommesso che può vegliare tutta la notte la compagna morta. Entriamo in un piccolo cortile.

«Ecco» io dico a lui di dieci anni. Ci sono tre archi, nell'arco di mezzo è una porta bassa, e viene di là la luce dei morti. «Ora» gli dico «non bisogna spaventarla di più.»

Seduta ai piedi della cassa non chiusa, Berta ha nei denti la paura. L'abbiamo sempre saputo; lei l'ha raccontato.

Ma aveva scommesso, non voleva tornare indietro, e lui sempre ha pensato che avrebbe voluto saperlo quand'era bambino: sarebbe corso da lei a tenerle compagnia.

Dalla Sicilia fin dentro Milano? Dalla Sicilia fin dentro Milano. Ora siamo, dalla Sicilia, dentro Milano, e lui di dieci anni la chiama. «Berta» le dice «non temere. Sono quel ragazzo dell'altra volta.»

«Dio!» Berta dice. «Era così lungo e ora è già finito! È già finito?»

«Sì. È già finito!»

«Durava sette ore, e ora è un minuto solo. Ma ho vinto lo stesso, o no?»

«Hai vinto. Hai vinto.»

«Sono stata brava o no?»

«Sei stata brava.»

«Non diranno che ho avuto paura?»

«Non lo diranno.»

«Ma ho avuto paura. Perché posso dirtelo? Posso dirtelo.»

«Sì che puoi dirmelo.»

«Ma che cosa cambia» Berta dice «che cosa cambia così la mia vita?»

«Io voglio cambiartela» lui le dice. «Voglio che non ti accada quello che ti è accaduto.»

Le dice: «Vuoi che usciamo di qua?».

LV. *Lei è di tredici anni; si alza e guarda nella cassa, alla luce dei morti, la compagna morta. «Possiamo?»*

«Sì che possiamo.»

«E dove mi porti?»

«A casa da me. In Sicilia.»

Usciamo, e non è più il piccolo cortile nella luna; è la Sicilia.

«Ma qui è giorno.»

È sole. E la campagna è di pietra e capperi, tonda, di terra invernale, che odora.

«Ti piace?»

«Non è male.»

«Qui io sono fuori tutto il tempo.»

«Giochi tutto il tempo?»

«A volte gioco, a volte no. Sto qui tutto il tempo.»

«Tutto il tempo lontano da casa?»

«Mica la casa è lontana. Non senti questo rumore? Viene da casa.»

«Che rumore è?»

«Mio padre che ferra i cavalli.»

«Ma io non vedo niente.»

Saliamo dove la campagna s'arrotonda in alto, cresce il suo odore invernale, e vediamo fichidindia, un tetto, poi altri tetti più in basso, tre o quattro, e bianco di polvere su una strada.

«Quel primo tetto è la casa.»

«Chi c'è dentro?»

«C'è mia nonna.»

«C'è solo tua nonna?»

«Mia madre anche.»

«E tuo padre che ferra i cavalli dov'è?»

«È dall'altra parte, verso la strada.»

Ci avviciniamo, scendiamo tra i fichidindia, vediamo una vecchia sul balcone della casa, seduta in una sedia a dondolo.

«È lei la nonna?»

«È lei.»

«Smettila, scemo» dice la nonna.

«Con chi ce l'ha?»

«Con mio fratello.»

«Con tuo fratello? Dov'è tuo fratello?»

«È sotto i fichidindia. Steso in terra.»

«E che noia le dà?»

«Ti ho detto di smetterla, scemo» dice la nonna.

«Le manda il sole negli occhi con un pezzo di vetro.»

«Ora lo vedo.»

«Era il suo scherzo preferito.»

«Scemo!» dice la nonna. «Scemo!» dice. «Scemo!»

Esce dalla casa la madre.

«Pippo» chiama «vieni qua.»

Pippo striscia fuori dai fichidindia.

«Ora la smetterai» dice la nonna.

E la madre: «Vieni quassù».

La nonna: «Perderai il tuo giocattolo, Pippo».

La madre: «Dammi il vetro».

La nonna: «Addio. Gli hai detto addio?».

La madre: «Dammi il vetro».

Pippo consegna il pezzo di vetro alla madre, e Berta dice: «Come! Glielo dà?».

«Doveva sempre darglielo.»

«Hai una mamma molto severa.»

«E adesso?» dice la nonna. «Come giocherai, Pippo, adesso?»

Dice la madre: «Vai. Corri da tuo fratello».

Pippo si allontana.

«E il tuo vetro, Pippo?» la nonna dice. «Senza il tuo vetro te ne vai?»

Pippo si volta e le mostra la lingua; esce tra i fichidindia.

Dice la nonna: «Quel marmocchio non mi piace».

«Pippo?» dice la madre. «Me l'hai già detto.»

La nonna: «Non mi piace il suo modo di molestarmi. Sempre lo stesso, sempre con quel pezzo di vetro».

La madre: «Preferireste che vi appiccasse il fuoco alle sottane?».

La nonna: «Si capisce! Potrei, allora, chiamarlo diavolo. Mentre così come posso chiamarlo? Non altro che scemo».

La madre: «E chiamatelo scemo».

La nonna: «Lo faccio. Ma non è per questo che non mi piace».

La madre: «Lo so».

La nonna: «Oh, tu sai tutto! Appena comincio un discorso, subito dici che lo sai».

La madre: «Bene. Allora non so niente».

La nonna: «Un corno non sai niente. Credi che sia rimbambita? Tu mi tratti come una vecchia bisbetica».

La madre: «Ho paura che lo diventerai a furia di arrabbiarti».

La nonna: «Io mi arrabbio? Ma guarda! Io mi arrabbio? Tu non immagini che cosa accadrebbe se mi arrabbiassi».

La madre: «Che cosa accadrebbe?».

La nonna: «Perdio! Tremerebbe la terra».

La madre: «Ah, già!».

La nonna: «Solo una volta mi sono arrabbiata nella mia vita, e se n'è accorta tutta la Sicilia».

La madre: «Fu quando c'è stato il terremoto di Messina?».

La nonna: «Non sfottere, figlia. Fu quando i contadini si mossero. Non te l'ha mai raccontato tuo marito?».

La madre: «Me l'avete raccontato voi».

La nonna: «E che? Me lo rimproveri?»

La madre: «Ve lo rimprovero? Non ve lo rimprovero».

La nonna: «Tu saresti all'oscuro di un avvenimento storico se non te ne avessi parlato io».

La madre: «Sono contenta di non esserne all'oscuro».

La nonna: «Ma tuo marito potrebbe degnarsi di raccontare quello che fece sua madre».

La madre: «Sapete che non racconta mai nulla».

La nonna: «Pure scrive tragedie. Perché non scrive una tragedia su sua madre?».

LVI. *Chiede Berta:* «Scrive tragedie, tuo padre? Mi hai detto che ferra i cavalli».

«Ferrava i cavalli» dice lui di dieci anni «e scriveva anche tragedie. E anche le recitava.»

«A me piace recitare» dice Berta. «Nel collegio recitiamo.»

La nonna brontola sul balcone; la madre raccoglie e serra in un lenzuolo la biancheria che porta a lavare.

«Vado» dice «al torrente.»

S'avvia, passa tra i fichidindia vicino al figlio di dieci anni, e lui e Berta vedono che li vede.

«Che fai qui?» *la madre chiede.*

«Torno in casa» *egli dice.*

E la nonna, dal balcone, grida: «Che accade? Con chi parli?».

Dice la madre: «E questa ragazza?».

«È con me» *dice lui di dieci anni.*

«Questo lo vedo» *dice la madre.*

«Ma con chi parli?» *la nonna grida.*

«Chi è?» *chiede la madre.*

«È Berta» *lui dice.*

«Non ti ho chiesto come si chiama» *dice la madre.* «Ti ho chiesto chi è.»

«Bene» *lui dice.* «È mia moglie.»

Grida la nonna: «Si può sapere che cosa accade?».

La madre torna verso la casa, e anche lui di dieci anni esce dai fichidindia, con Berta per mano.

«È il tuo protetto» *grida alla nonna la madre.* «Vedi che ha combinato?»

«Che ha combinato?»

«Ha preso moglie e ce la porta in casa.»

La vecchia nonna si alza dalla sedia a dondolo, si sporge dalla ringhiera. «Che dici?»

Dice a Berta la madre:

«Io non ho niente contro di te. Ma lui non ha fatto una bella cosa. Non sono ancora tanto vecchia perché facesse questo.»

«Ora vengo io» grida la nonna.

LVII. Scende e arriva. Ha con sé una verga che nasconde dietro la schiena. «Lo sai» dice «quanti anni ho? Ho sessantadue anni. E tu vorresti farmi bisnonna a sessantadue anni?»

Si rivolge alla madre: «Dove l'avrà trovata?».

«Mah!» la madre dice.

«Di che paese è?» la nonna chiede.

«È» lui risponde «ticinese.»

«Anche i ti-cinesi ci sono?» dice la nonna. «Credevo che ci fossero solo i cinesi.»

Dice lui:

«Ma non ha niente da fare coi cinesi.»

«Sì» dice Berta «sì che ho da fare coi cinesi.»

«Ma no!» dice lui.

«Zitto!» grida la nonna. «Vuoi anche nasconderci che tua moglie è quasi una cinese?»

E si rivolge a lei bambina.

«Siete più cinesi voi, o sono più cinesi i cinesi?»

«Oh!» dice lei bambina. «Credo che siamo più cinesi noi.»

«Vedi?» la nonna grida.

«Noi stiamo di qua» dice lei bambina «e i cinesi stanno di là.»

«Di qua e di là di cosa?»

«Della Muraglia. Non avete sentito mai parlare della Muraglia?»

«Perdio se ne abbiamo sentito parlare! La Muraglia della Cina?»

La nonna e la madre si scambiano un'occhiata. «Viene dalla Muraglia» si dicono.

«Ma non capite che scherza?» grida lui. «Guardate la sua faccia. Che ha di cinese la sua faccia?»

«Questo non significa» la nonna dice.

«I cinesi hanno gli occhi obliqui» dice lui. «Ha gli occhi obliqui Berta? Berta non ha gli occhi obliqui.»

«Questo» risponde la nonna «non significa.»

«I cinesi hanno la pelle gialla. Ha la pelle gialla Berta? Berta non ha la pelle gialla.»

«Non significa» dice la nonna. «Non significa.»

E si alza la sottana, ne tira fuori un libro rilegato appeso con una catenella di ferro alla cintola. «Qui nelle Mille e una notte» dice «c'è la storia di un principe indiano che i genii prendono e portano da una principessa della Cina.»

Agita il libro.

«Cento volte te l'ho raccontato. E nel libro non è scritto che la principessa era di pelle bianca. È scritto» dice «che era una bella ragazza.»

Apre il libro e mostra una vignetta.

«La vedi che bella ragazza?»

LVIII. Ora arriva un uomo che conduce un cavallo; è di trenta o trentacinque anni; ha gli occhi azzurri.

«Tuo figlio» dice all'uomo la madre «ne ha combinata una come le tue.»

«Come le mie che cosa?» il padre chiede.

«O già» dice la nonna. «Egli ha sposato una principessa cinese.»

Il padre si avvicina a Berta; e ha gli occhi chiari, ardenti, che gli si riempiono di lagrime.

«Principessa!» dice. «Mia principessa!»

Prende lei bambina sotto le ascelle, e la solleva.

«È il tuo cavallo?» Berta gli chiede.

«Non più» il padre dice. «Ora è per te.»

La porta e la posa sul dorso del cavallo.

«E tu scrivi tragedie?» Berta gli chiede.

«Ne ho scritte» egli risponde «trentacinque.»

«A me piace recitare» dice Berta.

«Vuoi che ne scriva una per te?» il padre le chiede.

Si mette a gridare la nonna:

«Eccolo il figlio snaturato! Mai ha voluto scrivere una tragedia per sua madre, e ora è pronto a scriverne una per una
mocciosa cinese.»

«Non offendere l'ospite, madre» l'uomo le dice.

«Noi non offendiamo l'ospite» dice la nonna. «Noi non l'abbiamo che con te.»

La nonna e la madre salgono in casa, e dalla scala lo chiamano.

«Torno subito» egli ci dice.

Restiamo noi soli, Berta bambina sul cavallo.

«Perché» le dice lui di dieci anni «hai dato a intendere loro
che sei cinese?»

«E tu perché» lei risponde «hai dato a intendere loro che siamo marito e moglie?»

«Tu hai sciupato tutto» dice lui.

«Io?» dice lei. «Tu sei stato!»

Il cavallo strappa erba dalla terra dura; è un'erba alta; e il
cavallo, tra l'erba, muove qualche passo. Non vi è più sole.
Sulla tonda campagna è una luce bianca come già di sera. E
nell'erba che il cavallo apre brucando, muovendo passi e brucando, vediamo la cassa della morta del collegio.

«Ci è venuta dietro» dice lei bambina.

«Chi credi che sia?» lui le dice.

Indica, nelle erbe che le nascondono, altre casse uguali.

«Sono i ragazzi biondi che abbiamo ucciso io e i miei fratelli»
le dice. «Mica ci è piaciuto» anche le dice. «Loro sempre lo vogliono. Abbiamo dovuto ucciderli.»

LIX. La mattina dopo quella notte, verso le dieci, la bella vecchia dai capelli bianchi, Selva, era che spazzava nella sua casa quando, alzato il capo, vide di là dalle tendine e i vetri della porta una figura di donna sul ballatoio.

«Guardala!» disse.

Era ferma, nel sole, dietro la sua porta a vetri, e non bussava né se ne andava, era indecisa.

Selva aprì la porta. «Guardala!» le disse.

La fece entrare e la condusse nella stanza piena di sole, fino al vecchio divano dell'altra volta, la fece sedere.

«Sei stata brava ad esser venuta» le disse. «Sono contenta di vederti.»

«Grazie» Berta rispose. «Sono anch'io contenta.»

«Che cosa posso offrirti? Ho qualcosa tra il tè e la camomilla. Ne preparo due tazze?»

«Non occorre.»

«Se fai complimenti addio. Hai l'aria di venire da un treno e una qualunque broda la prendi volentieri. Non vieni da un treno?»

«Vengo dalla Nord. Sono arrivata e sono venuta.»

«Abiti fuori Milano? Come mai abiti fuori Milano?»

«In agosto ci è bruciata la casa.»

«Vi è bruciata? Parli di te e di chi altri?»

«Mio marito.»

«E fuori Milano, sei anche con tuo marito?»

«Sono con mio marito.»

Selva si mise a preparare il tè, e d'un tratto, mentre voltava le spalle, chiese:

«Ma tu non sei una che lavora con noi, vero?»

«No» Berta rispose. «Non posso dire di esserlo.»

«L'avevo capito» disse Selva.

Tornò dal fornello, dove aveva messo a bruciare pezzi di legno raccolti nelle macerie, e si fermò dinanzi a Berta, sedendosi di fianco sull'orlo del tavolo, con un piede sollevato e uno in terra.

«Come potevi esserlo? Lui ora non ha da fare con molte di noi.»

«Non ha da fare con molte di voi?»

«Non più. Non più. Né ha motivo di vederne delle nuove.»

«Con quante ha da fare?»

«Due in tutto. Una son io e una è la sua portatrice. Tu chi potevi essere?»

«Ha una portatrice? Portatrice di che?»

«È una che conosco, e non eri tu. Chi potevi essere tu? Non potevi essere una di noi.»

LX. Selva si mosse, e girò dietro il tavolo, guardò se l'acqua bolliva.

«Speravo che tu fossi la sua compagna» disse.

S'interrompeva parlando, eppure non dava più modo a Berta di parlar lei. Continuò:

«Un uomo deve avere una compagna. Tanto più deve averla se è uno dei nostri. Dev'esser felice. Che cosa può sapere di quello che occorre agli uomini se uno non è felice? Noi per questo lottiamo. Perché gli uomini siano felici.»

Si voltò, e si appoggiò al tavolo con le mani, dalla parte dov'era. «M'intendi in questo che dico?»

«È semplice» Berta rispose.

«È molto semplice» disse Selva. «Un uomo che lotta perché gli uomini siano felici deve sapere tutto quello che occorre agli uomini per essere felici. E deve avere una compagna. Dev'essere felice con la sua compagna.»

«Lui non ha una compagna?» Berta chiese.

Di nuovo Selva guardò se l'acqua bolliva.

«A me lo domandi? Io speravo che fossi tu... Mai ho saputo che ne avesse una.»

Venne di qua dal tavolo con la teiera e due tazze.

«Quando ti ho veduta» disse «ho subito pensato che avresti dovuto essere la sua compagna. Sei come lui la deve volere... Ma, tu» domandò «mi credi in quello che dico?»

«Perché no?» Berta disse.

«Se io fossi stata giovane» Selva continuò «avrei potuto esser io la sua compagna. Ma io potrei essere sua madre. E quando ti ho veduta ho pensato che dovevi essere tu.»

«Sono anch'io più vecchia di lui.»

«Potresti esser sua madre? Non potresti esserlo. Dunque puoi essere sua moglie.»

«Ma sono già moglie di un altro.»

La vecchia Selva fu attenta con la sua faccia fine.

«Sembra strano che tu possa dirlo.»

«Pure posso dirlo.»

«E lo sei? Davvero lo sei?»

«Non so» disse Berta. «Che cosa significa esserlo? Credo che vi siano molti modi di esserlo.»

Disse Selva: «Io non lo credo».

«Credi che vi sia solo un modo di esserlo?»

«Vi è un modo che conta più di tutto il resto.»

«Anche voler essere buoni conta.»

«Sei moglie di un altro perché vuoi essere buona?»

«Non so. Forse è per questo.»

«È per questo? È stato sempre per questo?»

«Forse è stato sempre per questo.»

«Ma è terribile» disse Selva. «Tu stai in una casa, e per essere buona pensi che sia la tua casa?»

Berta non rispose.

Era come Selva diceva? Non aveva una casa, non aveva nulla, non aveva che uno spettro; si metteva a letto e non dormiva nemmeno... E per essere buona pensava di aver tutto? E pensava di essere moglie di un uomo, per essere buona? Era come Selva diceva?

LXI. Si guardavano, e Berta si mosse sul divano, sembrava che volesse alzarsi.

«Quando ti sei sposata?» Selva le chiese.

«Dieci anni fa.»

«E quando hai conosciuto lui?»

«Subito dopo di essermi sposata.»

«Ma guarda!» Selva esclamò. «E lui è innamorato di te da allora? Tu sei innamorata di lui da allora?»

«Io non ho detto questo.»

«Ti spaventano le parole?»

«Non mi spaventano, ma non c'è ragione di dire che lui sia innamorato di me.»

«No?» disse Selva.

«O che io lo sia di lui.»

«No?» disse Selva.

Berta si alzò in piedi.

«Te ne vai?» Selva le chiese.

«Debbo andare.»

«Ma perché sei venuta?»

Berta non rispose, e teneva chino il capo, la sua faccia era concentrata.

«Tu» le disse Selva «volevi qualcosa da me. Non volevi niente?»

«Niente di speciale.»

«Solo vedermi, allora?»

«Questo.»

«Brava! Ma mi sei simpatica lo stesso. Perché eviti di darmi del tu?»

«Io no. Evito di darti del tu? Te l'ho pur dato.»

«Già» disse Selva.

«Ora vado davvero.»

«Tornerai?»

«Vengo spesso a Milano. Tornerò.»

«Non ti piace molto parlare.»

«Mi piace anche non parlare.»

«Invece io sono una chiacchierona. Ti ho sconcertato con quello che ho detto?»

«Per niente.»

«Pure è perché parlo che sei venuta.»

«Come?»

«Lascia perdere... L'hai più veduto, lui?»

«Non lo vedo da quando siamo stati qui insieme.»

«Cioè, da quando?»

«Sono passati due giorni. Doveva cercarmi e non mi ha cercata.»

«Ah, ecco!» disse Selva.

«Che cosa?» disse Berta.

«Anch'io non l'ho più veduto. Sono stata fuori Milano.»

«Ma non può essergli accaduto nulla, no?»

«No. No.»
«Arrivederci, Selva.»

LXII. Berta prese il tram, e andò in tram fino a piazza della Scala. L'inverno era lo stesso di due giorni prima; l'aria leggera, viva; lo stesso sole; e barbagli di sole in tutti i vetri. Lo stesso poteva esser lui dietro il tram, sulla sua bicicletta.

Scese, e camminava; guardava da ogni parte, e anche si voltava per guardare. Andò, dal Duomo, verso piazza Fontana, non sapendo dove andare, volendo camminare, e vide che i tram procedevano di là a passo d'uomo. Gente andava, quella nella sua direzione, affrettata e a gruppi; quella che veniva in su era invece smarrita, spesso si fermava, e stava voltata a lungo indietro.

«È accaduto qualcosa?» Berta domandò.

Era un vecchio signore a cui si rivolse; guardava indietro, e teneva il bastone alzato, pallido in volto, rabbioso, teneva alzato il bastone in uno strano gesto come lei ricordava di aver visto tenere alto il fuso le donne di campagna che filavano.

«Oh!» il vecchio rispose. «Niente di straordinario!»

Uno più giovane era giallo come un morto, anche lui di coloro che venivano in su fermandosi e stando a lungo voltati indietro, e aveva in mano una borsa vuota che continuamente apriva, capovolgeva, scuoteva e poi richiudeva.

«Così proprio» disse. «Che di straordinario?»

«Niente di straordinario» il vecchio disse.

Si fermarono insieme, e per un po' continuarono, uno come domandando e l'altro come rispondendo, dicendo entrambi la stessa cosa.

«Che di straordinario?»

«Niente di straordinario.»

Non erano molti che venivano in su, erano uno ogni dieci nella folla che andava in giù, affrettata, a gruppi, ma tutti, se si guardavano, se si vedevano, avevano gesti strani e si parlavano nello stesso modo.

«Che di straordinario? Io non ho veduto niente di straordinario.»

«Nemmeno io. Che ho veduto io di straordinario? Niente ho veduto di straordinario.»

«Che c'è da vedere di straordinario?»

Al largo Augusto, Berta vide che la folla era nel mezzo della strada, e camminava tra i due marciapiedi, tutta in un senso, tutta verso la piazza dov'è il monumento delle Cinque Giornate: ma lei continuò per il marciapiede. Si trovò sola, lungo le botteghe chiuse, eppure continuò, e vide davanti a sé degli uomini fermi, con dei berretti strani e lunghi bastoni neri tenuti sulle braccia, come ne aveva veduti il giorno ch'era stata con Enne 2 in bicicletta, sul corso Sempione. Non formavano file, né erano molti, stavano sul marciapiede sparpagliati, e il sole brillava sulle canne nere dei loro fucili, sui loro bottoni, e anche su un punto dei loro berretti.

Scese allora dal marciapiede, si mise con la folla, passò davanti a quegli uomini; e guardava che cosa avessero che luccicava al sole sui berretti. Vide che avevano delle teste di morto in metallo bianco, il teschio con le tibie incrociate; ma vide anche che sul marciapiede, tra quegli uomini e altri più in fondo, stavano allineati come dei mucchietti di cenci; qualche mucchietto bianco, e qualche mucchietto invece scuro, di pantaloni, giacche, cappotti: panni usati. Che cos'era?

Guardò, pur camminando, e più da vicino; e vide, fuori da qualcuno di quei mucchi, scarpe.

Scarpe anche?

Le vide come ai piedi dell'uomo, quando un uomo è steso in terra. C'era gente in quei piccoli mucchi? C'erano uomini? Guardò, quasi spaventata, dietro a sé; nelle facce della folla.

«Ma...» disse. Qualcosa per cominciare. E avrebbe voluto chiedere se ognuno di quei mucchietti fosse un uomo; e perché fossero lì, cinque mucchietti, cinque uomini; se fossero uomini catturati, e catturati a che scopo; e perché fossero tutti stesi, perché nessuno fosse seduto, nessuno in piedi, nessuno che si muovesse.

Avrebbe voluto saperlo da qualcuno della folla, non vederlo da sé; e invece vide da sé; e vide che erano morti, cinque uomini allineati morti sul marciapiede, uno vestito anche con cravatta al collo come se lo avessero ucciso mentre camminava per la strada, ma tutti gli altri in disordine, uno avvolto nel tappeto d'un tavolo, uno con la giacca sulla faccia e sotto in mutande e camicia, due in biancheria da letto con i piedi nudi.

«Ma che cosa» disse «è accaduto?»

Guardava nelle facce che aveva intorno, voleva sapere, e non c'era che da vedere. Che cosa avevano fatto a quegli uomini? E chi glielo aveva fatto? Perché glielo aveva fatto?

Alzò gli occhi su uno dei militi con la testa di morto in mezzo al berretto, e fu per chiederlo a lui.

Ma non chiese niente.

Arrossì anzi, e si tirò indietro nella folla, abbassò il capo, camminò via. In fretta, senza quasi più fermarsi, continuò fino al monumento di piazza Cinque Giornate, poi tornò indietro. Fu di nuovo a piazza Fontana, piazza Duomo, piazza della Scala, tutto quasi correndo, in piazza della Scala riprese il tram, e poco dopo era un'altra volta da Selva.

LXIII. I morti al Largo Augusto non erano cinque soltanto; altri ve n'erano sul marciapiede dirimpetto; e quattro erano sul corso di Porta Vittoria; sette erano nella piazza delle Cinque Giornate, ai piedi del monumento.

Cartelli dicevano dietro ogni fila di morti: *Passati per le armi*. Non dicevano altro, anche i giornali non dicevano altro, e tra i morti erano due ragazzi di quindici anni. C'era anche una bambina, c'erano due donne e un vecchio dalla barba bianca. La gente andava per il largo Augusto e il corso di Porta Vittoria fino a piazza delle Cinque Giornate, vedeva i morti al sole su un marciapiede, i morti all'ombra su un altro marciapiede, poi i morti sul corso, i morti sotto il monumento, e non aveva bisogno di saper altro. Guardava le facce morte, i piedi ignudi, i piedi nelle scarpe, guardava le parole dei cartelli, guardava i teschi con le tibie incrociate sui berretti degli uomini di guardia, e sembrava che comprendesse ogni cosa.

Come? Anche quei due ragazzi di quindici anni? Anche la bambina? Ogni cosa? Per questo, appunto, sembrava anzi che comprendesse ogni cosa. Nessuno si stupiva di niente. Nessuno domandava spiegazioni. E nessuno si sbagliava.

C'era, tra la gente, il Gracco. C'erano Orazio e Metastasio; Scipione; Mambrino. Ognuno era per suo conto, come ogni uomo ch'era nella folla. C'era Barca Tartaro. Passò, un momento, anche El Paso. C'era Figlio-di-Dio. E c'era Enne 2. Essi, naturalmente, comprendevano ogni cosa; anche il perché delle donne, della bambina, del vecchio, dei due ragazzi; ma ogni uomo ch'era nella folla sembrava comprendere come ognuno di loro: ogni cosa.

Perché? il Gracco diceva.

Una delle due donne era avvolta nel tappeto di un tavolo. L'altra, sotto il monumento, sembrava che fosse cresciuta, dopo morta, dentro il suo vestito a pallini: se lo era aperto lungo il ventre e le cosce, dal seno alle ginocchia; e ora lasciava vedere il reggicalze rosa, sporco di vecchio sudore, con una delle giarrettiere che pendeva attraverso la coscia dove avrebbe dovuto avere le mutandine. Perché quella donna nel tappeto? Perché quell'altra?

E perché la bambina? Il vecchio? I due ragazzi?

Il vecchio era ignudo, senz'altro che la lunga barba bianca a coprire qualcosa di lui, il colmo del petto; stava al centro dei sette allineati ai piedi del monumento, non segnato da proiettili, ma livido nel corpo ignudo, e le grandi dita dei piedi nere, le nocche alle mani nere, le ginocchia nere, come se lo avessero colpito, così nudo, con armi avvelenate di freddo.

I due ragazzi, sul marciapiede all'ombra di largo Augusto, erano invece sotto una coperta. Una in due, e stavano insieme, nudi i piedi fuori della coperta, e in faccia serii, non come morti bambini, con paura, con tristezza, ma serii da grandi, come i morti grandi vicino ai quali si trovavano.

E perché, loro?

Il Gracco vide, dove lui era, Orazio e Metastasio. Con chi aveva parlato, nella vigilia dell'automobile, di loro due?

Con l'uno o l'altro, egli aveva parlato tutta la sera, sempre conversava con chi si incontrava, e ora lo stesso parlava, conversava, come tra un uomo e un uomo si fa, o come un uomo fa da solo, di cose che sappiamo e a cui pur cerchiamo una risposta nuova, una risposta strana, una svolta di parole che cambi il corso, in un modo o in un altro, della nostra consapevolezza.

Li guardò, dal lato suo dell'angolo che passava attraverso i morti, e una piccola ruga venne, rivolta a loro insieme allo sguardo, in mezzo alle labbra di quella sua faccia dalle tempie bianche.

Orazio e Metastasio gli risposero quasi nello stesso modo. Come se lui avesse chiesto: E perché loro? Mossero nello stesso modo la faccia, e gli rimandarono la domanda: E perché loro?

LXIV. Ma c'era anche la bambina.

Più giù, tra i quattro del corso, dagli undici o dodici anni che aveva, mostrava anche lei la faccia adulta, non di morta bambina, come se nel breve tempo che l'avevano presa e messa al muro avesse di colpo fatta la strada che la separava dall'essere adulta. La sua testa era piegata verso l'uomo morto al suo fianco, quasi recisa nel collo dalla scarica dei mitragliatori e i suoi capelli stavano nel sangue raggrumati, la sua faccia guardava seria la seria faccia dell'uomo che pendeva un poco dalla parte di lei.

Perché lei anche?

Gracco vide passare un altro degli uomini che aveva conosciuto la sera prima, il piccolo Figlio-di-Dio, e fu un minuto con lui nella sua conversazione eterna. Rivolse a lui il movimento della sua faccia, quella ruga improvvisa in mezzo alle labbra, quel suo sguardo d'uomo dalle tempie bianche; e Figlio-di-Dio fece per avvicinarglisi.

Ma poi restò dov'era. Perché lei? il Gracco chiedeva. Figlio-di-Dio rispose nello stesso modo, guardandolo. Gli rimandò lui pure la domanda: Perché lei?

Perché? la bambina esclamò. Come perché? Perché sì! Tu lo sai e tutti lo sapete. Tutti lo sappiamo. E tu lo domandi?

Essa parlò con l'uomo morto che gli era accanto.

Lo domandano, gli disse. Non lo sanno?

Sì, sì, l'uomo rispose. Io lo so. Noi lo sappiamo.

Ed essi no? la bambina disse. Essi pure lo sanno.

Vero, disse il Gracco. Egli lo sapeva, e i morti glielo dicevano. Chi aveva colpito non poteva colpire di più nel segno. In una bambina e in un vecchio, in due ragazzi di quindici anni, in una donna, in un'altra donna: questo era il modo migliore di colpir l'uomo. Colpirlo dove l'uomo era più debole, dove aveva l'infanzia, dove aveva la vecchiaia, dove aveva la sua costola staccata e il cuore scoperto: dov'era più uomo. Chi aveva colpito voleva essere il lupo, far paura all'uomo. Non voleva fargli paura? E questo modo di colpire era il migliore che credesse di avere il lupo per fargli paura.

Però nessuno, nella folla, sembrava aver paura.

Aveva paura il Gracco? O Figlio-di-Dio? Scipione? Barca Tartaro? Non potevano averne. O poteva averne Enne 2? Non poteva averne. Allo stesso modo ogni uomo ch'era nella folla non aveva paura. Ognuno, appena veduti i morti, era come loro, e comprendeva ogni cosa come loro, non aveva paura come non ne avevano loro. Avrebbe anche potuto essere stato con loro, la sera prima. Poteva anche conversare col Gracco.

Il Gracco conversava, infatti, con ognuno.

Era dinanzi ai morti, uno incontrava la sua faccia, e a lui veniva, nel mezzo delle labbra, quella piccola ruga.

Perché, tu dici? Questo il Gracco diceva: Perché, tu dici?

Perché? l'altro diceva. Certo che lo dico. Non debbo dirlo?

Puoi dirlo se lo vuoi, diceva il Gracco.

E la donna? l'altro diceva. Lo dico sì. Perché la donna? Oppure: Perché la bambina?

Oppure: Perché questi due ragazzi?

Diceva allora il Gracco: E quest'uomo no? Perché quest'uomo?

Era un uomo di cui non si vedeva la faccia. Si vedevano le sue gambe, forti, coi lunghi muscoli di uomo nel fiore degli anni, le scarpe ai piedi messe senza le calze, e, per il resto, in mutande e camicia. Aveva scuri i polsi, e le mani chiuse di uno che stia stringendo i denti. Ma sulla faccia gli era stata gettata una giacca.

Perché? Era come per nascondere un tradimento che gli si fosse fatto, a lui nel fiore degli anni, peggiore che agli altri. Perché quest'uomo? diceva il Gracco.

E quello che parlava con lui: Già. Perché?

Il Gracco lo diceva di ognuno dei morti. Gli veniva la ruga in mezzo alle labbra, guardava, e quello guardava allo stesso modo. Ogni uomo morto era come la bambina.

Una cosa si sapeva per tutti i morti, e se si cercava una risposta nuova, parole che cambiassero il corso della nostra consapevolezza, non si poteva chiedere perché che per tutti insieme.

LXV. Anche il Foppa, caro Scipione. Perché il Foppa?

Il piccolo Foppa, caduto in combattimento, era coi cinque morti dalla parte al sole di largo Augusto: tra essi l'unico che fosse del tutto vestito. Egli era caduto con le armi in pugno; non aveva dovuto chinare il capo sotto una

scure. Chi, tuttavia, poteva dire che la sua morte fosse
giustificata?

Gracco s'incontrò con Scipione, davanti al Foppa.

Si riconobbero? Forse no: uno poteva essere stato in una
macchina, e uno nell'altra. Si guardarono senza sapere,
forse, che avevano combattuto insieme la sera prima: ma
si parlarono, la ruga venne in mezzo alle labbra di Gracco,
e vi fu un movimento sul volto di Scipione. Parlarono del
Foppa.

Perché il Foppa?

Egli amava andare al cinematografo, amava i cinesi, e
diceva che tutto era più nutritivo del pane, persino i bachi da seta. La sua faccia era stata ferma e buona. Egli era
stato un uomo pacifico, un uomo semplice. Perché, ora,
era morto?

Avrebbe potuto non combattere: soltanto amare il cinematografo e i cinesi. Ma era stato costretto a combattere,
ed era come la bambina ch'era stata tirata fuori dal letto e
fucilata. Era la stessa cosa. Non meno di lei innocente, e
la sua morte come quella di lei. Non meno ingiustificata.

Lo stesso era Coriolano.

Morto anche lui con le armi in pugno, ma anche lui
morto innocente, e la sua morte anche ingiustificata. Si
poteva dire anche di lui: E perché lui? Era un uomo pacifico e semplice, si portava dietro la compagna e i figlioli in
tutti i suoi nascondigli, voleva abitare a tutti i costi con
loro, e diceva che non avrebbe saputo far nulla senza avere un buco dove ogni giorno tornare e ritrovare la sua
compagna, i suoi figlioli.

Egli era morto perché era stato costretto a combattere.
E perché era stato costretto a combattere?

Lo disse il Gracco.

Vide Barca Tartaro come guardava lui morto, e vide

che Barca Tartaro lo diceva. Lo dissero insieme: E perché lui?

Era lui che aveva la morta bambina accanto. La testa di lei stava piegata dalla sua parte, ed era la sua la faccia che pendeva verso di lei. Il Gracco la riconobbe, vedendo Barca Tartaro che la guardava. Una volta era stata aperta e buona. Ciao, gli disse, in faccia.

Ciao, il morto rispose.

Rispose ciao anche la bambina. Tutti i morti risposero ciao. E tutti avevano la stessa faccia.

Nulla più, là dentro, di aperto e di buono; o di fermo e di buono, di acuto e di buono, di concentrato e di buono; come nulla di infantile o di vecchio. Vi era soltanto serietà, e la ferocia che è della serietà: perdono ma vendetta insieme, nel perdono stesso.

Dinanzi a questo, sembrava che nessuno di chi guardava, ora, o di chi aveva guardato, distinguesse tra l'una e l'altra faccia. Ognuno, s'era uomo, era dinanzi a questo come dinanzi a un'unica famiglia trucidata. E poteva chiedere anche di Coriolano: Perché lui? Anche del Foppa: Perché lui? Poteva non distinguere tra la bambina e chi era caduto con le armi in pugno. Che cosa c'era da distinguere? Coriolano e il Foppa erano caduti come gli uomini validi cadono.

No? disse il Gracco a Enne 2.

Con la sua bicicletta per mano Enne 2 passava tra i morti, tra un marciapiede e l'altro, e il Gracco vide il suo sguardo da lontano.

Questo è quello che pensiamo tutti, gli disse il Gracco.

Non gli si avvicinò, ma la piccola ruga era di nuovo in mezzo alle labbra sulla sua faccia dalle tempie bianche.

Gli disse: Non vi è da pensare altro.

Enne 2, per non perderlo di vista, si era fermato. Non

gli rispose niente, eppure il Gracco vide ch'era anche lui un uomo pacifico e semplice, malgrado la sua faccia disperata. Pensava quello che tutti pensavano.

LXVI. Berta non trovò Selva in casa.

Bussò, non ebbe risposta, e non ebbe più scopo di essere venuta. Pure era venuta piena di fretta. Aveva qualcosa di molto importante da fare o da dire. Che cosa?

Andò, dalla strada di Selva, verso il Parco.

Non vi era gente, vi era soltanto il sole, terreno bianco e sole, alberi ignudi e sole, e andò, in quella solitudine, fino a una panchina. Sedette, e si mise a piangere. Era questo che aveva da dire o fare?

Piangeva, e tutto il Parco era intorno a lei, una arena solitaria, col cerchio del tram che suonava molto lontano, all'orizzonte.

Ma sentì qualcuno che le parlava.

«Che c'è, figliola?»

Sollevò il capo.

«Piangi?» disse l'uomo.

Era un vecchio, Berta lo vide vecchio e povero, lacero nei panni, le scarpe rotte, e continuò in pace a piangere.

«Posso domandarti» le disse il vecchio «perché piangi?»

«Non so» Berta rispose.

«Non sai perché piangi?»

«Vorrei saperlo, e non lo so.»

«Non ti è accaduto nulla?»

«Nulla.»

«Nemmeno ieri? Nemmeno ieri l'altro?»

«Nemmeno ieri l'altro.»

Il vecchio sedette vicino a Berta. «Tu devi aver visto qualcosa.»

«Questo sì.»

«Quei morti?»

«Quei morti.»

«E piangi» disse il vecchio «per loro?»

Berta sollevò di nuovo il capo.

Guardò il vecchio e vide che i suoi occhi erano azzurri, glieli vide sereni nella vecchia faccia. Aveva un significato che i suoi occhi fossero azzurri? Era come se avesse un significato.

«Non so» rispose.

Ma dovette piegarsi una volta di più dentro le sue lagrime.

LXVII. «Non bisogna» il vecchio disse «piangere per loro.»

«No?» disse Berta.

«Non bisogna piangere per nessuna delle cose che oggi accadono.»

«Non bisogna piangere?»

«Se piangiamo accettiamo. Non bisogna accettare.»

«Gli uomini sono uccisi, e non bisogna piangere?»

«Se li piangiamo li perdiamo. Non bisogna perderli.»

«E non bisogna piangere?»

«Certo che no! Che facciamo se piangiamo? Rendiamo inutile ogni cosa.»

Era questo piangere?

Rendere inutile ogni cosa ch'era stata?

Il vecchio lo diceva, e Berta poteva anche crederlo. Forse era questo. Ma non poteva non piangere, e stava pur sempre col capo chino, si bagnava di lagrime il grembo.

«Non bisogna» disse il vecchio. «Non bisogna.»

«Sì» disse Berta. «Non bisogna.»

«Vedi che non bisogna? Smetti.»

«Ma io non piango per loro.»

«Non piangi per loro?»

«Non su di loro.»

«No?» disse il vecchio.

Berta non piangeva sopra i morti, per il sangue loro. Ora lo sapeva. Le veniva da loro, ma non era pietà per loro. Era pietà, o forse disperazione, su se stessa; ma dinanzi a loro era un'altra cosa. Che cosa?

Disse al vecchio: «No. Non piango su di loro».

Aveva rialzato il capo, il pianto si asciugava sulla sua faccia, e rivide nel vecchio gli occhi azzurri.

Glieli guardò. «Ma che dobbiamo fare?» gli chiese.

«Oh!» il vecchio rispose. «Dobbiamo imparare.»

«Imparare che cosa?» disse Berta. «Cos'è che insegnano?»

«Quello per cui» il vecchio disse «sono morti.»

LXVIII. Berta chiese al vecchio che cosa intendesse dire, e il vecchio disse che intendeva dire quello per cui accadeva ogni cosa, e per cui si moriva, disse, anche se non si combatteva.

«La liberazione?» disse Berta.

Il vecchio sembrava cercasse la risposta migliore, guardava davanti a sé con occhi lieti. «Di ognuno di noi» rispose.

«Come, di ognuno?»

«Di ognuno, nella sua vita.»

«E il nostro paese? E il mondo?»

«Si capisce» il vecchio rispose. «Che sia di ognuno, e sarà maggiore nel mondo.»

Indicò la città verso dov'erano, sui marciapiedi, le facce loro; e Berta poté pensarli non di sopra alle case e agli uomini, ma tra le case, tra gli uomini, parlando dentro ad ognuno, non di sopra.

Un nuovo trasporto la trascinò; e ancora fu in lagrime.

Non avrebbe dovuto lasciarsi trascinare? Non doveva piangere? Pure era per questo che piangeva, non per altro, per questo e non altro aveva pianto finora, per questo che ora sapeva di pensare, questo che di loro pensava, e non cercò di frenarsi, pianse in pace.

Piangendo, si chiedeva.

E lo dicono anche in me? Anche per me sono morti?

LXIX. Si voltò, cercando il vecchio al suo fianco.

Dov'era? Sulla panchina non c'era più, e non era nel viale, non era in nessun luogo che lei vedesse sull'ignuda solitudine del Parco.

Subito si alzò.

Da uno dei grandi alberi ch'erano nel Parco, senza foglie, senza rami, partì in volo, e gracchiava, un uccello nero. Andò altrove a posarsi, e altri lo stesso, neri lo stesso, partivano e altrove si posavano, e questo era il mondo: freddo sole, e solitudine, alberi spogli, uccelli neri.

Berta girò tutto il Parco e non vedeva che questo.

Perché non c'era più il vecchio? Vedeva dentro il Parco la spoglia solitudine fino al cerchio remoto delle case, e nulla si muoveva da nessuna parte che potesse esser lui o comunque un uomo. Ma vide, in un punto, muoversi al sole un fumo.

Era tra le macerie dei padiglioni dove un tempo facevano le mostre d'arte, e andò verso il fumo, vide lì gente com'era stato il vecchio.

Prima, ai piedi d'un muro, uomini come operai, quattro o cinque, dentro coperte o panni laceri, seduti in terra come a prendere il sole, quel freddo sole, tutti col berretto sulla faccia. Poi una bambina che l'osservava di dietro una cancellata, anche lei in qualche modo come il vecchio; e uomini ancora, a piccoli gruppi di tre o di quattro, qualche donna con essi, qualche ragazzo, ma tutti in qualche modo come il vecchio, dentro panni laceri, dentro coperte, il berretto o cappello sempre sulla faccia; e tutti come se si nascondessero, al piede di muri, dietro cancellate; come se prendessero, nel freddo, il sole; o tra le macerie, carponi, come cercando legna da ardere.

Un gruppo più numeroso era intorno al fuoco di cui Berta aveva veduto il fumo; tra i muri diroccati d'uno dei padiglioni. Il fumo non filava via, saliva lento, e sembrava avvolgesse le facce loro.

Il vecchio poteva essere uno di loro. Dove poteva essere se non con loro? Berta guardò in mezzo a loro, nel primo gruppo, nel secondo, nel terzo, guardava e camminava, ma non trovava il vecchio e si mise a chiedere di lui.

«È passato di qui un vecchio?»

La bambina che l'osservava di dietro la cancellata si voltò verso gli altri ch'erano con lei.

«Cerca un vecchio?» disse agli altri, piano. «Perché cerca un vecchio?»

Uno degli altri si voltò verso quelli che stavano seduti intorno al fuoco.

«Cercano un vecchio» gridò loro.

«Che vecchio?» risposero dal fumo.

Parlò, dal fumo, anche una donna.

«Dev'essere Gaetano.»

La figura della donna si alzò nel fumo.

«Quello della panchina?» chiese.

«Era su una panchina» disse Berta.

«La panchina dove dormiva?»

«Non so. Vi si era seduto.»

«Dev'essere Gaetano» rispose la donna.

Non disse altro; la sua figura si riabbassò nel fumo, nessuno disse più altro, e Berta si ritirò.

LXX. C'era stato un vecchio? C'era stato qualcuno con cui aveva parlato?

Era di nuovo nella solitudine: con qualche uccello, in un breve volo, nero al sole freddo; e sentì un gocciolìo d'acqua nell'acqua, una fontana.

La vide anche, presso il piede d'un albero.

Curvo sul filo dell'acqua, tra fontana ed albero, un uomo sembrava bevesse dalle dita. Ma inzuppava d'acqua croste di pane, e le mangiava; non beveva.

Berta gli si avvicinò come se fosse il vecchio; lo vide lacero, le scarpe rotte.

«A casa» le disse quello.

Egli le faceva, senza voltarsi, segno di andarsene.

«A casa?»

«Andare a casa.»

Berta si accorse di continuare a piangere. Non aveva mai smesso da quando era stata sulla panchina. Si era alzata, e aveva continuato. Aveva camminato e continuava.

E quello, sottovoce, l'incitava. «A casa» ripeteva. «A casa. Bisogna pensarci a casa.»

«Ma io» disse Berta «non ho una casa.»

Quello, allora, si voltò. Berta lo vide vecchio. Vide che i suoi panni laceri erano l'uniforme di un ospizio. E vide chino il suo capo, giù il cappello, la mano tesa.

Era un mendicante?

Gli mise nella mano il suo denaro, come lui chiedeva; grata che glielo chiedesse, che fosse così buono, così gene-

roso da aver voluto essere solo un mendicante; grata poi
che se ne andasse; fosse così discreto; e lo guardò allonta-
narsi, vide che quasi correva, e lei pure corse, sapendo che
tutti del suo proprio prossimo erano per lei dei mendican-
ti, tranne uno e i morti.

LXXI. Un camioncino col rancio era passato per il largo Augusto e il corso, e gli uomini con la testa di morto sui berretti mangiavano al sole, mangiavano all'ombra, su ogni marciapiede dov'erano di guardia.

La gente li guardava, e due giovanotti che li guardavano sorrisero tra loro.

«Buono, eh?» disse uno.

«Mica male» uno di quegli uomini rispose.

«Che ci avete dentro? Carne?...»

«Eh, sì! Carne!»

«Ossa anche?»

«Ossa? Come ossa?»

Uno sbarbatello delle teste di morto venne dov'erano i due giovanotti e mostrò il recipiente.

«C'è carne. C'è pancetta. C'è fagioli. C'è patate.»

«Vedo» disse il giovanotto che aveva parlato.

«Ci trattano bene» lo sbarbatello continuò. «La mattina» disse «pane con burro e marmellata...» Aveva piena la bocca, e voglia di parlare. «Il pomeriggio, lo stesso. Pane, con burro e marmellata.»

Il giovanotto si voltava indietro, mentre lui parlava. Guardava occhi, nell'attenta folla. E lui dalla testa di morto, sempre piena la bocca, parlava.

«La sera, maccheroni e pietanza.»

«Di carne cruda?»

«Di carne cruda? No, di carne cotta. Più la frutta. Più il formaggio. Più il vino.»

«E quest'intruglio a quest'ora?»

«Intruglio? Questo è un piatto tedesco. Ha un nome loro non so come si dice. E c'è anche salsiccia.»

«Ma guarda!»

«Uno come noi può ringraziare Iddio. Di questi tempi che farebbe, se no? Fame, se no!»

«Lo credo.»

Con la testa di morto sul berretto, quello mosse la sua mascella piena, masticando, in direzione della folla e indicò le facce davanti a sé.

«Che fanno loro? Se non sono ricchi sfondati, fame!»

Il giovanotto si voltò di nuovo.

«Di'» disse lo sbarbatello. E gli diede una gomitata.

«Che vuoi?»

«Si serve la patria e si sta come papi» disse lo sbarbatello.

«Che intendi dire?» il giovanotto chiese.

«Se vuoi arruolarti ti raccomando io.»

«Grazie. Grazie.»

Un graduato chiamò, dalle teste di morto, lo sbarbatello.

«Tu!»

«Vengo» disse lo sbarbatello.

Sorrise con malizia al giovanotto, e gli porse, su dal recipiente, una cucchiaiata colma.

«Assaggia» gli disse, con la bocca piena.

«Io?» il giovanotto esclamò.

Guardò l'altro giovanotto, e disse, non come allo sbarbatello, ma come a lui: «Mica io sono un antropofago».

Lo sbarbatello delle teste di morto scoppiò, pur come aveva piena la bocca, in una risata.

«Ah! Ah!» gridò.

«Che ha, l'idiota?» disse il graduato, da dove era.

«Oh!» lo sbarbatello gridò. «Dice che mica è un antropofago.»

Rideva, e altri delle teste di morto, più in là, risero pure.

«Che cosa?» il graduato domandò.

«Dice che lui non mangia. Che non è un antropofago.»

Il graduato si era messo in piedi, e venne davanti alla folla.

«Chi non è un antropofago?»

Gridò alla folla la sua domanda, poi fece un passo in avanti, ancora masticava, e pareva sicuro che la folla dovesse indietreggiare. Ma la folla non indietreggiò.

LXXII. La folla non era grande.

Erano alcune centinaia di persone, tra largo Augusto e piazza Cinque Giornate. Prima passavano, guardavano i morti e passavano, ora invece stavano ferme intorno ai marciapiedi coi morti. Era perché i militi mangiavano?

Dov'era il monumento i militi mangiavano un po' discosto dai morti. Avevano fatto cerchio da un lato, e uno aveva aperto una scatola di sardine, mangiavano sardine insieme al rancio.

Più indietro, nei due vani della piazza che mettono sul grande viale dove passa il tram, due carri armati tenevano puntati i cannoni verso l'infilata del corso. La gente che era davanti ai morti non li vedeva. Veniva e vedeva i morti, il vecchio ignudo, la donna dal vestito spaccato, poi i militi, il cartello, e poteva non vedere altro. Ma ora la gente era ferma, guardava i militi che mangiavano, e vide, ai due lati, sopra i due *Tigre* e intorno, ragazzi biondi che giocavano.

Prima guardò a lungo i militi che mangiavano, le loro bocche piene, l'olio delle sardine sul mento, sui baffi anche e sulle mani, le teste di morto sui berretti, poi vide i due *Tigre*, nascosti quasi al di là del monumento, e guardò là i ragazzi biondi, sopra e intorno.

Le voci loro salivano ridenti nell'aria della piazza, ed erano gattini da vedere, si prendevano per le braccia, saltavan su, saltavan giù, e cavalcavano i cannoni, con grida piccole di tedesco come le note di un balletto. Tra un carro e l'altro uno andava e veniva. Biondo, non alto, portava qualcosa da un carro all'altro, e tutti ogni volta ridevano. Uno anche più piccolo gli saltò addosso da un carro. Insieme rotolarono in terra; tutti risero.

E perché?

Risero i militi a vederli. Perché ridere? Nessuno diceva che non fossero graziosi. Erano graziosi. O che non fosse grazioso il loro linguaggio. Era grazioso. Erano gattini da vedere, così innocenti da restare innocenti dinanzi a ogni cosa... O erano gnomi?

Alcuni giocavano, presso il *Tigre* di destra, in un modo ch'essi chiamano *Steissschlagen*. Uno si chinava, la faccia nelle mani di un altro, e un terzo, pam, faceva risuonare di due larghi colpi il suo sedere.

«Chi è stato?» gli chiedevano. «*Wer ist's gewesen?*»

E lui indicava ridendo, rialzato il capo, chi poteva essere stato.

«*Du*» diceva.

«*Du.*»

«*Du bist's gewesen.*»

Due come loro spuntarono chissà di dove, avevano tre

cani al guinzaglio, con museruola, e dai *Tigre* cominciarono a chiamarli.

Chiamarono insieme i cani.

«Greta!»

«Gudrun!»

«Kaptän Blut!»

Su un carro armato salì un cane. E salirono in molti sul carro, giocando col cane, gli tolsero la museruola, gli diedero pezzetti di cioccolata, lo portarono fin sul cannone; ed erano graziosi. Nessuno, davvero, diceva che non fossero graziosi.

Continuarono il loro gioco.

«*Wer ist's gewesen?*»

«*Du bist's gewesen.*»

«*Nein*» gridavano in molti. «*Nein. Nein.*»

E ridevano.

«*Es ist Gudrun gewesen.*»

Indicavano i cani.

«*Es ist Gudrun gewesen.*»

«*Es ist Blut gewesen.*»

Erano graziosi. Anche i colpi che si davano erano graziosi. E avevano grazioso il sedere. Ma che cos'erano? Gnomi dei carri armati?

LXXIII. Gli occhi, da loro, ritornavano sui morti.

Questi non erano graziosi. I piedi grandi, grigi; le facce serie e grige; l'uno sembrava lo stesso dell'altro, tutti uguali, e il vecchio, in mezzo, era come il padre loro.

Perché, lui proprio, era lì lasciato ignudo?

Un vecchio bianco dorme da secoli nell'uomo. Noi ce ne ricordiamo; è il padre nostro che ha edificato l'arca, il padre lavoratore; egli ha lavorato, si è ubriacato, e dorme

118

ridendo ignudo attraverso i secoli. Gli occhi che dai ragazzi biondi ritornavano ai morti si ricordavano di lui. Vedevano il vecchio ignudo, e pensavano a lui ignudo nel vino, pensavano come se l'antico padre fosse stato ucciso nel sonno del suo vino.

Magro, le guance incavate, gli occhi infossati nella faccia scura, un uomo tra la folla guardava i morti davanti a sé e si chinava sopra i loro piedi. Indicò ad altri quei loro piedi.

«Freddo» disse. «Hanno avuto freddo ai piedi.»

Nessuno gli rispondeva, ed egli aveva i suoi piedi calzati di pantofole, non di scarpe; ne tirava su uno, ogni tanto, e se lo strofinava sull'altro, stava anche a lungo, come un uccello, sopra un piede solo. «Freddo» diceva. «Molto freddo ai piedi.»

Aveva castagne nelle mani. Egli era arrivato, dal viale dei bastioni, spingendo un carrettino colmo di castagne, crude in un mucchio grande, e calde di fuoco recente in un mucchietto coperto da uno straccio, poi si era trovato nella folla della piazza, si era messo a gridare la sua merce, aveva cercato di vendere, e come nessuno gli comprava nulla, si era spinto a vedere, lasciato il carrettino, che cosa accadesse sotto il monumento, con le mani piene delle castagne che voleva mostrare per invito all'acquisto.

Ora si chinava, indicava quei piedi in fila, grandi, grigi, sempre con le mani piene di castagne, e si cacciò nelle tasche le due manciate di castagne, toccò uno dei piedi, furtivamente, sull'alluce.

Era del vecchio. Lo toccò con un dito, e si rialzò, guardò davanti a sé tutto il vecchio ignudo.

Si ricordò pure lui del padre antico? Scosse il capo, guardò insieme agli altri i militi che mangiavano, i ragazzi biondi che giocavano, e di nuovo guardò i morti, guardò il vecchio. Che c'era in lui? Il ricordo di suo padre stesso?

S'inginocchiò, e nessuno fu stupito che s'inginocchiasse.

Non c'era in lui quello che c'era in tutti? Coprire il vecchio ucciso, questo tutti volevano, e che quei ragazzi non offendessero più la nudità di lui.

LXXIV. Berta aveva seguito, scesa dal tram in piazza della Scala, il percorso di un'ora prima, Galleria, Duomo, piazza Fontana, ed era di nuovo dinanzi ai morti. Era nella folla dove il graduato si faceva avanti, sicuro che la folla dovesse indietreggiare.

Egli si faceva avanti, finì di masticare il suo boccone, si cacciò in bocca, per liberarsi un dente da qualcosa, metà di una mano, e scrutava dentro la folla, poi ancora parlò.

«Chi non è» disse «un antropofago?»

Sollevò il mitragliatore, e lo tenne, a canna in giù, come pronto ad adoperarlo.

«Chi non è un antropofago?» diceva.

Nessuno rispondeva, ma nessuno indietreggiava; ed egli invano cercava negli occhi qualcuno; non vi era nessuno che guardasse lui, nessuno indietreggiava; e fu lui stesso che dovette indietreggiare per restare separato dalla folla.

Contò dietro a sé i suoi compagni: uno, due, tre, quattro. Tutti mangiavano, più in là, seduti sempre in terra. Lo sbarbatello continuava il suo pasto in piedi, pur sempre idiota, pur sempre ridendo, chissà di che, come un idiota, ed egli, bruscamente, gli diede uno spintone, lo fece cadere tra due dei morti.

Berta non sapeva come questo fosse cominciato; vide lo sbarbatello cadere e rialzarsi; e non pensava che significasse qualcosa. Chi l'avesse guardata avrebbe potuto anche credere che cercasse un morto suo in mezzo a quei morti.

E aveva sentito la domanda. «Chi non è un antropofago?»

Ma era per lei come venuta da un altoparlante, trasmessa per radio da un'altra parte del mondo fino a quel mondo di lagrime e liberazione nel quale lei cercava Enne 2 ed era coi morti.

L'uomo dal mitragliatore dovette riappendersi l'arma alla spalla.

La cosa che gli aveva legato un dente lo tormentava tuttora, ed egli faceva boccacce senza riuscire a liberarsene. Di questo solo sembrava ormai occupato. Diede un calcio allo sbarbatello che si rialzava, e gridò un'ultima volta:

«Chi non è un antropofago?»

Ma la sua voce suonò strozzata; i suoi stessi compagni risero di lui: e Berta lo vide, tenendosi spalancata la bocca con una mano, frugarsi dentro con l'altra fin quasi alla gola, la testa indietro, e tutto lui che traballava. Berta nemmeno pensò a quello che avesse; lo guardò e lo dimenticò, insieme alla sua domanda: e guardava i cinque morti come se fossero passati per la morte e tornati vivi, in un modo diverso di essere vivi, sedendo in terra, uomini che potevano ascoltare, accogliere quello che si chiedesse loro, ed anche uscire dal silenzio loro, rispondere, parlare.

LXXV. Dai cinque al sole andò dinanzi ai quattro ch'erano sul marciapiede in ombra, coi due ragazzi di loro sotto una coperta che li univa. Andò dinanzi a quelli ch'erano sul corso, rivide la bambina, rivide l'uomo al fianco della bambina; e andò dinanzi a quelli ch'erano ai piedi del monumento, vide il vecchio ignudo, vide la donna dal reggicalze rosa.

121

Li guardava e li ritrovava: uomini in panni laceri e coperte, qualche ragazzo, qualche donna, quella bambina, infine quel vecchio; come se prima li avesse veduti vivi, e li vedesse ora vivi di nuovo, ma in un altro modo, passati per la morte e tornati vivi in un altro modo di esser vivi, tutti in grado di ascoltare quello che lei potesse chieder loro, alzare il capo da terra, e dare a lei una risposta, da una consapevolezza nuova.

Nella folla dinanzi al monumento l'uomo dalle pantofole aveva messo le mani in terra. Egli stava chino sul vecchio ignudo come se volesse coprirlo con la sua persona. Tre o quattro dei militi che mangiavano si erano avvicinati. E osservavano l'uomo; che cosa volesse fare.

«Che gli piglia?» dicevano.

Enne 2, la bicicletta per mano, era dove l'uomo dalle pantofole aveva lasciato il carrettino. Egli guardava di là quello che accadeva; alto abbastanza per vedere di sopra al fitto della folla le facce morte e i militi, ma non vedeva l'uomo dalle pantofole che si era inginocchiato. Vedeva i carri armati, i ragazzi biondi che giocavano, il vecchio ignudo, vedeva anche uno dei suoi, Figlio-di-Dio, che cercava di farsi posto tra la folla, aveva di nuovo veduto il Gracco, ma voleva vedere che cosa facesse quell'uomo dalle pantofole, e non riusciva a vederlo.

Si avvicinò un po' di più, pur con la bicicletta, fino a salire sul marciapiede; e vide che tra i militi c'era movimento.

Sentì che dicevano:

«È uno di stanotte. Lo riconosco.»

Si alzò su un pedale della bicicletta.

Uno di stanotte?

Un uomo dalla faccia spaventata si dibatteva, ma non era nessuno dei suoi compagni della notte. Era magro, scuro, quello che aveva veduto poco prima passargli davanti in pantofole turchine, con le mani piene di castagne. Pensò come potesse aiutarlo.

Lo vide saltare da una parte, e pensava che avrebbe potuto dargli la sua bicicletta.

Ma l'uomo correva, sui suoi piedi turchini, in una direzione sbagliata, verso i ragazzi biondi di uno dei carri armati, e già egli pensava che non poteva dargli nessun aiuto, pensava che mai avrebbe potuto dare aiuto a nessuno, mai c'era da dare aiuto, ed era disperato anche per lui, aveva voglia di perdersi insieme a lui, fare basta, non dover più sapere di gente che si perdeva, quando, tra coloro ch'erano in semicerchio dinanzi ai morti, vide qualcuno non voltarsi a seguire la fuga dell'uomo, continuare a guardare i morti, la testa alta, senza nulla per lei che fosse perduto, solo occupata ad apprender qualcosa, la faccia animata, e vide ch'era Berta.

LXXVI. *Il grande suono percuote i boschi, rompe le valli, ed entra. Riempie un uomo come una campana che si riempia del suono di se stessa.*

Berta?

Vedo Berta con ogni cosa che le accada.

Dinanzi a questi morti, e dinanzi agli altri; e se dagli uni va agli altri non corro e l'interrompo, solo la seguo.

Anche per me? *Berta chiede loro.*

Chiede se sono morti anche per lei. Lo chiede ai cinque del marciapiede al sole, lo chiede ai quattro coi due ragazzi sotto una coperta, l'ha chiesto alla bambina e ai suoi.

Anche per me? *ha chiesto alla bambina.*

Dice la bambina:

Vuol sapere se siamo morti anche per lei.

Lo dice all'uomo cui si rivolge da quando è morta.

E tu, *l'uomo le risponde,* diglielo.

Non glielo diciamo? *dice la bambina.* Non siamo qui da un pezzo a dirglielo?

Quindi, come irritata, parla a Berta.

Si capisce, *le dice.* Anche per te. Vuoi non avere la nostra morte anche su di te? Anche per te siamo morti.

I cinque al sole rispondono con un cenno del capo. Non è molto semplice? È molto semplice. Nemmeno occorre dirlo.

E quelli dei ragazzi lo dicono e non lo dicono.
Anche per te, rispondono. È naturale.

LXXVII. *Tuttavia Berta continua a chiederlo.*

È dinanzi ai sette col vecchio, ai piedi del monumento, e vuole saperlo anche da loro. Saperlo, e tornare a saperlo. Come se non possa convincersi che sia così.

È dinanzi a loro con tutta la sua vita: quello che le sembrava serio, e che ha voluto credere bontà, dovere verso il mondo, virtù, purezza. Dieci anni è stata ferma in questo, tenendo fermo un uomo al suo fianco, e ora non ne è fiera, anzi ne ha vergogna dinanzi ai morti. Che cos'è questo dinanzi a loro?

Potrebbe riderne, da come loro sono.

Che cos'è? Paura di non esser buona, paura di aver coraggio, e ostinazione nella paura, ostinazione a restar legata, e restar rassegnata, a non lottare.

E la verità era quello che non ha voluto; idem la bontà, quello che non ha voluto; idem il dovere verso il mondo, quello che non ha voluto; idem la purezza, soltanto quello che non ha voluto. Lo vede dinanzi a loro, morti per una vita che sia più seria.

Niente di quello per cui lei è vissuta è in quello per cui loro sono morti. Eppure dicono che sono morti anche per lei. Perché anche per lei?

Questo l'esalta e le dà sgomento.

Non può sopportare lo sguardo loro. Come può avere anche su di sé la loro morte? Che cosa può fare per essere anche lei una per cui loro sono morti?

Io vedo in Berta questo che le accade.

Quasi vorrebbe che le dicessero di no.

Anche per me? torna a chiedere.

Ma loro rispondono sempre com'è naturale. Anche per lei, rispondono.

LXXVIII. Come? domanda. Ora Berta va oltre la soglia di quello che sono loro morti, e alla consapevolezza nuova che ha da loro, esce in lei dal segreto una consapevolezza uguale che le si è formata dentro nei dieci anni della sua cosa negata con Enne 2. È la consapevolezza che ha da loro, e può averla da se stessa. Può apprendere da loro e da sé insieme come sia liberarsi.

Un modo diverso per ognuno?

È, le dice il vecchio, una parola sola.

Dilla, dice Berta. Che sciolga tutti i legami?

Che sciolga tutti i legami.

Per tutti i legami un modo solo? Vuol dire questo il vecchio? E che sciolga chi? Anche i figli dai padri? I padri dai figli? I fratelli dai fratelli? Che sciolga tra gli uomini tutto e dia loro di stabilire quello soltanto che tra essi può essere vero? Questo intende dire?

So come dici, dice Berta. So come dici.

Un modo, egli vuol dire, che dia agli uomini di farsi una cosa vera in ogni loro cosa. Non vuol dire questo?

Berta respira. Pensa agli occhi nel vecchio, sotto le palpebre chiuse; e li pensa azzurri.

Ma qual è, dice, la parola?

Qual è? dice il vecchio. Ancora lo chiedi?

Ancora non l'hai detta. Dici ch'è una parola e non la dici. Pensi che non occorra dirla?

Il vecchio parla con gli altri morti. Pensano, dice loro, che occorra una parola.

Non occorre che ci sia? dice Berta. È una parola, chiede, che non occorre dire?

E Berta su questo è ferma, nessuno più le risponde, si volta e cerca tra la folla dove sia Enne 2.

LXXIX. Appena Berta si fu voltata Enne 2 piantò la bicicletta contro il marciapiede e corse da lei. Ma Berta fece anche più presto, si strappò fuori dalla folla.

«Sai» egli le disse «che cosa sembra?»

«Che cosa?» disse Berta.

«Che io abbia un incantesimo in te.»

«E io in te. Non l'ho anch'io in te?»

«Questa è la nostra cosa.»

«C'è altro fra noi?»

«Pure sembra che ci sia altro.»

«Che altro?»

«Che io debba vederti quando sono al limite.»

«Come, al limite?»

«Quando ho voglia di perdermi.»

Berta lo stava guardando, i suoi occhi gli stessi che avevano guardato i morti.

«Tu hai voglia di perderti?»

«Ora?» disse Enne 2. «Ora è il contrario. E questo dico che sembra un incantesimo. Che appena ho raggiunto il limite debba ritrovarti e avere il contrario.»

«È così ogni volta che mi vedi? Lo è stato sempre?»

«Quasi ogni volta. Come se un incantesimo che io abbia in te ti faccia tornare perché io ricominci.»

«E prima è voglia di perderti?»

«Perdermi con coloro che vedo perdersi. Smettere di dibattermi.»

«Ma perché?» Berta esclamò. «Nessuno si perde. Chi vedi perdersi?»

«Lo so» disse Enne 2. «Quando tu ci sei non vedo nulla che si sia perduto.»

«E perché non mi cerchi?» Berta esclamò. «Perché non vuoi mai cercarmi? Perché tutti questi giorni non mi hai cercato? Perché puoi non cercarmi?»

«Tu volevi che ti cercassi?»

«Sono venuta tutti i giorni a Milano.»

«Ad aspettare che ti cercassi?»

«Che mi cercassi. Che mi telefonassi. Io ti ho cercato.»

«Mi hai cercato?»

«Anche ora ti cercavo. Che cosa credi che facessi qui? Ti cercavo.»

LXXX. Si erano allontanati lentamente dalla piazza, ed erano sul viale dei bastioni che conduce a Porta Romana, lei come tante altre volte al suo braccio mentre lui aveva la bicicletta per mano.

«Resti a Milano nel pomeriggio?»

«Sono anche ora a Milano.»

«Ora ti aspetteranno per mangiare.»

«Chi?»

«Quei tuoi cognati. Non vai a mangiare dai tuoi cognati?»

«Vuoi che vada da loro?»

«Oh, Berta!» disse Enne 2. «Non te ne importa di non andarci?»

«Io ho cercato te» Berta rispose. «Non cercavo loro.»

Da tutta la sua mattina a Milano ritornò in lei come ad una foce il lungo fiume del pianto che pur era parso, e d'improvviso, tutto già passato via. La sua faccia aveva potuto splendere, ma lo aveva avuto dentro sotterraneo, ed ora era lì, al punto stesso in cui l'era parso di non averlo più: un fiume di emozione e di pace che la portò calmo e largo, celeste pace, come la vita più seria che volevano i morti.

Mise la testa sulla spalla di Enne 2, e pianse sulla sua spalla. Chi passava li vedeva: l'uomo che teneva la bicicletta con una mano, lei che piangeva sulla sua spalla; ed era gente di ritorno dai morti, non se ne stupiva.

Quando finì, Berta chiese:

«Non mi prendi in canna?»

Egli montò sulla bicicletta e la prese in canna.

«Ti stancherai» le disse.

«È molto lontano da qui a casa?»

«È da attraversare tutta la città. Qui siamo a Porta Romana.»

«Se mi stanco continueremo a piedi.»

Andarono un pezzo per morte strade; di dentro Porta Romana verso la cerchia dei Navigli, e poi sulla cerchia dei Navigli, verso San Lorenzo, verso Sant'Ambrogio, verso le Grazie, sempre per morte strade, tra case distrutte, nel sole di foglie morte dell'inverno, ed egli ogni momento le chiedeva: «Non sei stanca? Non vuoi scendere? Non vuoi che camminiamo?».

«No. Continua» Berta rispondeva.

LXXXI. Disse ch'era stanca quando furono di nuovo in luoghi non morti, nei pressi della Stazione Nord, e da lì andarono a piedi, andavano e si guardavano, non si parlavano, e andarono fino al ponte ch'è sopra i binari della Nord.

«Passiamo per il Parco?» Berta chiese.

«Solo per il viale esterno. Fino a Porta Sempione.»

«Non vuoi che andiamo più dentro?»

«Andiamo più dentro.»

Entrarono nel recinto dov'erano le macerie dei padiglioni, ed era Berta che conduceva, passarono per viali da cui le macerie si vedevano lontane.

«Ti ho cercato anche qui.»

«Qui per il Parco?»

Dentro le macerie, in mezzo ai grandi alberi, c'era un fumo che saliva.

«Vedi un fumo là in fondo?» Berta chiese.

«Lo vedo» rispose Enne 2.

«C'era» disse Berta «anche prima.»

«Sarà gente senza casa che si prepara da mangiare.»

«Andiamo» disse Berta. «Portami via.»

«Vuoi che ti riprenda in canna?»

«Riprendimi in canna.»

Egli la riprese sulla canna della bicicletta.

«Facciamo presto» disse Berta. «Dobbiamo prepararci anche noi da mangiare.»

Era di nuovo come era stata dinanzi ai morti, la faccia splendente di qualcosa che l'esaltava, e a lui pareva di avere anche più forza per correre a doverla portare.

«Non dovremo più aspettare?»

«Non dovremo più aspettare.»

«Sei mia moglie, allora?»

«Lo sono se mi vuoi. Mi vuoi?»

«Oh! Lo sei sempre stata.»

«Lo sono soltanto da stamattina.»

«Lo sei da sempre. Lo sei sempre stata.»

«Solo da oggi. Da ora.»

LXXXII. Erano lungo Corso Sempione, e andarono non più parlando, Berta indicò lontano un punto.

«Sembra che si vedano le montagne.»

«Sembra? Si vedono. Sono le montagne.»

«Si vedono le montagne da Milano?»

«Non le vedi? Si vedono.»

«Non sapevo che si vedessero.»

«Sapevi di essere mia moglie? Non lo sapevi. E invece lo sei.»

«Quando non lo sapevo non lo ero.»

«E invece lo eri.»

Giunsero dov'era la casa, egli prese la bicicletta sulla spalla e salirono, entrarono nella camera.

«Lo sei sempre stata» egli le disse.

La baciò. E fuori dalle finestre, alte sulle altre case, ancora si vedeva, bianco e celeste negli occhi del cielo, staccato da terra, il ghiaccio delle montagne.

«Non lo sei sempre stata?» disse Enne 2. «Lo sei sempre stata.»

Tolse giù il vestito di donna ch'era dietro la porta.

«Non vedi il tuo vestito? Non vedi che lo sei sempre stata?»

«E le montagne?» Berta chiese. «Le hai sempre vedute?»

«Le ho sempre vedute.»

«E i morti?»

«Ci sono sempre stati.»

«E gli occhi azzurri?»

«Gli occhi azzurri?»

«Di chi mi hai parlato sempre che aveva gli occhi azzurri? Era tuo padre? Erano nella tua infanzia?»

«Erano tu stessa.»

«Io stessa gli occhi di tuo padre?»

«Tu stessa la mia infanzia.»

«Io anche la tua infanzia?»

«Tu ogni cosa. Sei stata ogni mia cosa, e lo sei.»

«Lo sono?»

«Sei ogni cosa che è stata e che è.»

«E tua moglie?»

«Mia moglie. Mia nonna e mia moglie. Mia madre e mia moglie. La mia bambina e mia moglie. Le montagne e mia moglie...»

«E con quell'uomo?» disse Berta. «Che cosa sono stata con quell'uomo?»

«Perché devi essere stata qualcosa con quell'uomo?»

«Qualcosa lo sono stata. Perché sono stata con lui? Che cosa sono stata?»

«Sss» disse Enne 2. «Perché vuoi pensarci?»

«Allora prepariamoci da mangiare.»

LXXXIII. «Ecco» disse Enne 2. «Prepariamoci da mangiare.»

Aprì una porta. «Qui è la cucina.» E le mostrò la cucina, le mostrò in un armadio quello che si poteva preparare.

«Non abbiamo comprato il pane» disse. «Corro a comprarlo.»

Riprese in spalla la bicicletta, uscì, e Berta rimase sola dietro le finestre, a pensare di sé e quell'altro, perché fosse stata con quell'altro, che cosa fosse stata.

Che cosa era stata? Che cosa era stata? Vedeva il ghiaccio celeste delle montagne, l'inverno in quel ghiaccio, e l'inverno sui tetti ch'erano sotto le finestre, su Milano ignuda, sui campi spogli intorno a Milano, nel sole di foglie morte, e vedeva ogni cosa che lei era stata ed era, tutto quello che lui diceva, ma ancora si chiedeva che cosa fosse stata con quell'altro. Che cosa era stata? Vedeva il vestito ch'era stato dietro la porta, questo pure era stato lei, era vecchio di dieci anni, e lei era stata dieci anni con quell'altro. Perché era stata dieci anni con un altro? Che cosa era stata?

Enne 2 tornò, col pane, anche con fiori, e mise i fiori sul tavolo, davanti a lei.

«Lo sei sempre stata.»

«Anche fiori?»

«Anche fiori. Ne prendevo ed eri tu. Li portavo qui ed eri tu.»

La sollevò da terra, tenendola per le gambe, abbracciata.

«Tu» le disse. «Tu, tu.»

La portò sul letto e la baciava.

«No» disse Berta.

«No?» egli disse. «Che cosa no?»

Berta gli abbracciò la testa, gli baciava il collo, la faccia, anche la bocca, ma in qualche modo diceva no.

«Ho paura» disse.

«Hai paura?»

«Sono pur stata qualche maledetta cosa con quell'uomo.»

«E perciò?»

«Debbo ancora parlargli. Bisogna che gli parli.»

«Gli parlerai.»

«Ti prego» disse Berta. «Lascia che glielo dica prima.»

«Perché prima? Che cosa è lui per doverglielo dire prima?»

«Lascia che glielo dica prima.»

«Ma perché?» disse Enne 2. «Vuoi parlargli come se non

fossi ancora mia moglie? Non vuoi essere ancora mia moglie? Vuoi essere ancora che cosa?»

Si era staccato da lei e si alzò in piedi.

«Vuoi essere ancora che cosa?» disse di nuovo. «Che cosa sei stata?»

Berta era rimasta come lui l'aveva lasciata, appoggiata col gomito, e abbassò lo sguardo. Sembrava avesse paura di poter vedere le montagne di ghiaccio fuori dalle finestre, o qualunque cosa già veduta, i fiori ch'erano sul tavolo, il suo stesso vestito di dieci anni prima, il fumo tra le macerie, gli occhi azzurri del vecchio, le facce dei morti sui marciapiedi.

Disse Enne 2: «E di nuovo è come sempre. Di nuovo è come sempre?».

«No» Berta rispose. «Non è come sempre.»

«È la stessa cosa che è stata sempre.»

«Non è la stessa cosa.»

«È come quando mi hai lasciato il vestito. La stessa cosa.»

«No. Non la stessa.»

«Eri venuta come oggi, e mi lasciasti il vestito. È come fu allora.»

«Non è come fu allora.»

«È come ogni volta che sei venuta.»

LXXXIV. «Ti giuro di no» disse Berta. «Torno da lui solo per parlargli.»

«E non è stato così sempre? Sei sempre tornata da lui solo per parlargli. Non gli hai parlato già abbastanza? Non gli hai già detto ogni cosa?»

«Non gli ho mai detto quello che posso dirgli oggi.»

«Oh, Berta!» disse Enne 2. «Ti prego!»

«Oh!» disse Berta.

«Non puoi dirglielo dopo? Non puoi dirglielo tra un mese? Non è lo stesso che glielo dica tra un mese o un anno?»

«Tu sai che non è lo stesso.»

«A che serve dirglielo prima? Che cosa speri? Egli sarà come è sempre stato.»

«Debbo pur dargli» disse Berta «la possibilità di essere onesto.»

«Di lasciarti libera? Gliel'hai data un mucchio di volte.»

«Di essere buono. Di essere generoso.»

Enne 2 la guardava con disperazione.

«Ma perché vuoi che lo sia?» gridò. «Perché vuoi che sia buono? Perché vuoi che sia generoso? Perché deve importarti che lo sia o non lo sia?»

Si guardavano con disperazione tutti e due.

«Non deve importarmi?» disse Berta. «Sono pur stata con lui dieci anni. Mi importa, che lo sia.»

«T'importa?» Enne 2 gridò. «T'importa che cosa?»

«Che si renda conto di quello che è stato» Berta rispose. «Che non creda di essere stato di più.»

«Oh!» disse Enne 2. «Quello che è stato!»

Berta pensava al vecchio nel Parco che le aveva teso la mano; la bontà e generosità di lui a voler essere solo un mendicante, la sua discrezione; e pensava che questo poteva essere, dopo i morti, in ogni uomo.

«Non volermi male» disse.

«Te ne ho mai voluto?» disse Enne 2. «Non te ne ho mai voluto.»

«Non pensare che sia come le altre volte.»

«È come le altre volte.»

«È diverso. Non volermi male.»

«È come le altre volte, e hai visto i morti.»

«Ma è diverso» Berta disse. «Tornerò subito.»

«Tornerai sempre e sarà sempre la stessa cosa» disse Enne 2.

«No» disse Berta. «Non è la stessa cosa.»

«Hai visto i morti, ma è la stessa cosa» disse Enne 2.

LXXXV. Che cosa accadde all'uomo dalle pantofole quando fuggì di sotto al monumento in direzione del carro armato?

Figlio-di-Dio fu con quelli che videro. I militi non spararono, solo gridarono ai ragazzi biondi che si sculacciavano, e i ragazzi biondi gridarono. L'uomo passò tra di loro come se anche lui giocasse. Giocò a rincorrersi con loro, sfuggì, con parate e finte, dall'uno all'altro, tagliò verso il viale dove passa il tram, ma aveva un cane dietro. Il cane era la cagna Greta, la vide Figlio-di-Dio, ed era quella cui i ragazzi biondi avevano tolto la museruola. Era sul carro armato, giocando, e saltò giù, raggiunse l'uomo nel viale, lo fece cadere. Da un tram fu veduto l'uomo difendersi con una lima. I ragazzi biondi accorrevano, gridavano in tedesco al cane, e ancora ridevano, ancora giocavano. La cagna Greta ululò. Dal tram la videro che cercava di strapparsi via, coi denti, la lima; e videro l'uomo rialzarsi; ma i ragazzi biondi, e militi, erano già su di lui, lo presero, lo riportarono indietro. Figlio-di-Dio lo vide ritornare, tra ragazzi biondi e militi, con tutti che urlavano, e con un milite che lo spingeva alzando e abbassando su di lui il pugno chiuso, sempre colpendolo tra un'orecchia e la nuca, nello stesso punto. Egli vide la sua faccia spaventata, magra, scura, sangue sotto l'orecchia colpita, i piedi calzati di pantofole; e risalì in bicicletta.

Un graduato dei ragazzi biondi disse ai militi che dovevano portarlo dal capitano Clemm.

«Lo portiamo in caserma» dissero i militi. «Lo teniamo per il capitano Clemm.»

Il graduato dei ragazzi biondi disse che il cane ucciso era del capitano Clemm e che chi lo aveva ucciso doveva essere consegnato al capitano Clemm.

«Dobbiamo mandarlo all'albergo Regina?» dissero i militi.

«No. No» disse il graduato. «All'albergo Regina no.»

«Allora» dissero i militi «lo portiamo in caserma.» Due di loro si leccavano le labbra. Un accordo fu raggiunto. L'uomo dalle pantofole sarebbe stato portato nella caserma più vicina e tenuto in caserma per il capitano Clemm. Figlio-di-Dio vide l'uomo camminare zoppicando attraverso la piazza, in mezzo ai due militi che si leccavano le labbra.

LXXXVI. Figlio-di-Dio era un uomo piccolo. Sembrava meno di un uomo. Aveva anche occhietti come li hanno gli scoiattoli, non d'uomo. Egli tornò all'albergo per cominciare il suo turno, e dalla sala, dove finiva di far colazione, El Paso-Ibarruri lo vide. Dieci minuti dopo lo chiamava in camera sua.

«Vuoi bere?» gli chiese.

Figlio-di-Dio rifiutò.

«Non bevo mai.»

«Non bevi? Un combattente deve bere.»

«Io no. Mai bevuto.»

«Questo è un male, *niño*. Un combattente deve bere.»

Bevve lui, e guardò Figlio-di-Dio guardarlo.

«Devi imparare» gli disse.

«Non occorre» Figlio-di-Dio rispose.

«Occorre. Un combattente che non beve non ha fortuna.»

«Finora ho avuto fortuna.»

«E credi che l'avrai sempre? Se non impari a bere non l'avrai sempre.»

Figlio-di-Dio sorrise.

«Tu mi fai un cattivo augurio.»

«No. No. Io ti faccio l'augurio di imparare a bere. Tocca il bicchiere con me.»

Figlio-di-Dio si bagnò le labbra.

«Perché sei tornato?» gli disse El Paso. «Non è prudente che tu sia tornato.»

«Nessuno mi ha detto di non tornare.»

«Io sono tornato e tu sei tornato. Non era necessario che si tornasse tutti e due.»

«Qui c'è molto da fare prima di non tornare più» disse Figlio-di-Dio.

«*Ya lo creo*» disse El Paso. «Ma posso pensarci io da solo. Non posso pensarci io da solo?»

«Non so» disse Figlio-di-Dio.

«Non sai?» disse El Paso. «Non posso pensarci io da solo?»

«C'è molto da fare» disse Figlio-di-Dio.

El Paso vide i suoi occhietti che avevano guardato i morti sul marciapiede e l'uomo catturato.

«Bene» egli disse. «Ma devi imparare a bere.»

Gridava quasi, e gli diede il bicchiere in mano.

«Tocca con me» gli disse.

Di nuovo Figlio-di-Dio si bagnò le labbra al bicchiere, poi scese al primo piano e andò diritto da Kaptän Blut.

Blut rizzò le orecchie, a sentirlo.

«E allora?» Figlio-di-Dio gli disse. «Hai deciso?»

«Uh!» rispose il cane.

«Ti do ventiquattr'ore» disse Figlio-di-Dio.

Il cane mise la testa sulla sua spalla.

«Che cosa intendi dire?» Figlio-di-Dio gli chiese.

Entrò il capitano Clemm. «Che fai? Che gli stai facendo?»

«Stiamo parlando» Figlio-di-Dio rispose.

«Via. Via» gridò l'ufficiale. «Questi cani non devono parlare. Capito, piccolo uomo? Oggi nemmeno *kleine Knochen* e nemmeno acqua.»

Egli si avvicinò al cane, gli scoprì i denti e glieli guardò, stringendo i suoi fino a farseli risuonare come se rompesse noci in bocca.

«Ti piacciono i cani?» domandò.

«Se mi piacciono i cani?» disse Figlio-di-Dio. «Qualche cane mi piace. Qualche cane non mi piace. Mica tutti mi piacciono.»

«I cani non tradiscono. Sono sempre fedeli.»

«Questo non è» disse Figlio-di-Dio «una buona qualità.»

«No?» disse l'ufficiale.

«No, capitano. Un uomo va bene, e il cane gli è fedele. Un uomo va male, e il cane lo stesso gli è fedele.»

«E con questo?» disse l'ufficiale.

«Niente» disse Figlio-di-Dio.

«Ma tu perché parli con Blut?»

«Blut mi piace.»

«Ah, ti piace?» disse l'ufficiale. «Ti sembra che sia un buon cane?»

«Forse è un buon cane» disse Figlio-di-Dio.

«Io» disse l'ufficiale «preferisco i miei cani a tutta la gente che conosco.»

«Molti fanno così.»

«Tu no?» disse l'ufficiale. «Tu non li preferisci?»

«C'è anche gente che io preferisco.»

L'ufficiale lo guardò, e scosse il capo.

LXXXVII. Venendo via da Kaptän Blut egli incontrò El Paso, come spesso accadeva, nel corridoio che portava alla scala.

«Che vedo?» El Paso esclamò. «Il capitano Clemm è ancora vivo?»

«Dovrei esser morto?»

«Io la credevo morto. Non vi hanno ucciso tutti ieri sera?»

«Nessun ufficiale tedesco è stato ucciso.»

«Ma lei era in quel tribunale. Non era in quel tribunale?»

El Paso disse che i patrioti italiani erano in gamba. Voleva che Clemm bevesse con lui alla salute loro perché erano in gamba. Non era un uomo di spirito, il capitano? Se era un uomo di spirito avrebbe bevuto con lui alla salute loro. Non era un uomo di spirito?

Ma il capitano Clemm era grigio in faccia.

Gli disse, grigio in faccia, che aveva molto da fare. «Berremo stasera» gli disse.

«*Adonde vas?*» El Paso domandò.

«Vado a intrattenermi con uno che hanno preso.»

Un tale, in marsina, con le iniziali dell'albergo sui risvolti, si era fermato, salita la scala, dietro il capitano, e sembrava attendere ch'egli finisse di parlare per dirgli qualcosa.

«Subito la macchina» gli disse il capitano. «E fate salire in macchina i cani.»

L'uomo rispose che lo chiedevano al telefono, dalla Kommandantur.

«*Hallo!*» disse il capitano al telefono. «Che c'è?»

«*Es spricht der Befehlshaber.*»

Gli diedero il comandante della Piazza, e il capitano Clemm conversò al telefono col comandante della Piazza per una decina di minuti. Lo sentirono anche ridere, di fuori. Poi lo videro uscire, aggiustandosi il cinturone.

«Ehm!» gli disse El Paso.

«Ehm?» egli rispose. «Ehm!»

Si avvicinò, passando, a El Paso.

«Stasera berremo molto» gli disse. «Può avvisare la ragazza Linda di venire anche lei? La faremo ballare nuda, Ibarruri. E con la coda della mia cagna Greta attaccata di dietro.»

Salutò El Paso-Ibarruri con un cenno della mano.

«Sa?» soggiunse. «Il generale Zimmermann è venuto apposta dalla sua residenza sul lago di Como.»

«Apposta per cosa?» domandò Ibarruri.

Nella macchina c'erano i cani.

«I cani?» disse Clemm. «No. Niente per ora. Riportateli di sopra.»

Mentre venivano tirati giù, Gudrun e Kaptän Blut, egli si chinò su di loro, grattò loro a lungo la nuca. Di nuovo strinse i denti fino a farseli risuonare come se rompesse noci in bocca; e una grande automobile color fango di fiume si fermò a riva del marciapiede.

«Clemm!» fu chiamato.

Una delle S.S. ch'erano sul marciapiede disse al capitano: «*Der General Zimmermann!*».

Corse Clemm. «*Mein General!*»

«*Ja!*» disse il generale. «*Gehören die Hunde dir? Schöne Hunde!*»

Clemm salì nella macchina del generale, la macchina partì, e l'altra macchina partì al seguito. Le due macchine

attraversarono il centro della città. A San Babila si fermarono, e il capitano scese dalla macchina del generale. Egli
si aggiustava di nuovo il cinturone. Salì sulla macchina
sua, e un minuto dopo era in prefettura.

·Chiese: «Di dove posso telefonare?».

LXXXVIII. Mentre un usciere portava Clemm a telefonare, un altro avvertiva il prefetto della sua visita.

Il prefetto era in un grande seggiolone, la testa nelle
mani. Pipino lo chiamavano i suoi.

«Eh?» Pipino disse. «Anche lui?»

La testa nelle mani, sembrava sonnecchiasse, mentre un
uomo piccolo e magro, con un lungo naso affilato, parlava
al telefono, appoggiandosi al tavolo. Piccolo, magro, col
naso affilato, le mani affilate, il colorito roseo da tisico,
quest'uomo parlava sommessamente, ma si capiva che il
suo interlocutore, di là dal filo del telefono, stava urlando.

«E allora che dice?» Pipino chiese.

«Dice» rispose l'omiciattolo «che gliene crescono cento-
venti.»

Egli chiudeva con una mano la bocca del telefono quando rispondeva a Pipino.

«E che dice lui?» disse Pipino. «Che dice lui?»

«Un momento» rispose l'omiciattolo. E parlò nel telefono. «No. No. Io ho detto solo che non sono tanti.»

«Ma che vuole?» Pipino disse. «Che dice lui che farebbe?»

«Un momento» disse nel telefono l'omiciattolo. E rispose a Pipino. «Dice» disse «o mandarli via o fucilarli.»

«Fa presto lui a dirlo» Pipino disse. «O mandarli via o fucilarli! Fa presto lui a dirlo.»

«Che gli diciamo?»

143

«Deve tenerli. C'è altro da dirgli? Trovi il posto dove metterli.»

«Questo appunto lui chiede.»

«Sempre chiede. Che cosa chiede?»

«Che l'Amministrazione provinciale glielo dia.»

«L'Amministrazione! L'Amministrazione! E perché deve darglielo l'Amministrazione? Ne metta uno in più per cella.»

«Non è possibile. Ne ha messo già molte volte uno in più per cella.»

«E nelle caserme? E in via Copernico?»

«Tutto lo stesso.»

Pipino guardò il suo omiciattolo capo-gabinetto dall'angolo dell'enorme seggiolone dove si era ritirato.

«Oh!» disse. «Non potete pensarci voi? Pensateci voi!»

Si riprese la faccia nelle mani, e di nuovo parve che sonnecchiasse.

«Io direi» l'omiciattolo disse «che si potrebbe mandar via un po' di gente.»

Ma l'urlante voce aveva ricominciato a sgorgare, confusa e rauca, dal ricevitore del telefono.

«Un momento» disse l'omiciattolo, nel telefono. «Non potete aspettare un momento?»

«Come? Come?» Pipino chiese.

«Molti dipendono dalla Prefettura» disse l'omiciattolo. «Perché non mandiamo via quelli che dipendono dalla Prefettura?»

«Mandarli via?»

«Sono trattenuti senza mandato.»

«E voi direste di mandarli via?»

«Risolveremmo il problema.»

Pipino sbadigliò invece di rispondere. «Ouh!» sbadigliò.

«Ci sono» disse l'omiciattolo «gli operai fermati per l'ultimo sciopero.»

«Ma quelli sono di Zimmermann» Pipino gridò. «Chi glieli tocca a Zimmermann?»

«L'ordine di fermarli è venuto da noi.»

«No. No» gridò Pipino. «Meglio sentire Giuseppe-e-Maria.»

«Egli preferirà che li fucilino.»

«Ma non abbiamo un tribunale. Come può preferire che li fucilino?»

LXXXIX. La voce ora urlava nella strozza del telefono, era divenuta implacabile dietro il suo rauco al di là, e invano l'omiciattolo diceva: «Ma un momento! Solo un momento!».

«Chiamate Giuseppe-e-Maria» disse Pipino. «Giuseppe-e-Maria ne avrà bene un centinaio da mandare a casa. Chiamatemi Giuseppe-e-Maria.»

Questo era il nomignolo che davano in prefettura al questore. Egli stava parlando con Clemm fuori della porta, sentì Pipino che gridava, e bussò un colpo breve, si affacciò nella stanza.

«Vieni. Vieni» Pipino gli gridò.

«Che c'è?» chiese Giuseppe-e-Maria. «Ti ha messo in agitazione lo sbarco?»

«Come? Come?» gridò Pipino. «Lo sbarco ad Anzio? Perché lo sbarco ad Anzio doveva mettermi in agitazione? Io non sono in agitazione.»

L'omiciattolo parlava nel telefono, aveva fatto un cenno col capo all'ingresso di Giuseppe-e-Maria, ed era un po' più rosso nelle sue gote di tisico, un po' più serio, la faccia come scostata da qualcosa.

«Guarda che i tedeschi vogliono conti pari entro le diciotto» disse Giuseppe-e-Maria.

«Cosa? Cosa?» Pipino gridò.

«Non sei in agitazione?» disse Giuseppe-e-Maria.

«Io non sono in agitazione» Pipino gridò.

«Hanno allo scoperto nove uomini» disse Giuseppe-e-Maria. «Due ancora dell'altra volta, e sette di stanotte.»

«E che cosa vogliono?» Pipino gridò. «Vogliono che mi metta a giudicare io?» gridò.

«Vogliono conti pari» disse Giuseppe-e-Maria.

L'omiciattolo era corso al telefono interno, aveva lasciato sul tavolo il ricevitore del telefono esterno.

«E facciamo quello che vogliono» Pipino gridò. «Si servano da loro. Non possono servirsi da loro?»

Si era alzato in piedi, urlava, e il telefono urlava sul tavolo.

«Vogliono fucilare novanta persone?» urlava Pipino. «Vadano in piazza e se le prendano. Non possono prendersele in piazza? Io non rispondo della gente che è in piazza. Se le prendano in piazza.»

Giuseppe-e-Maria indicò sul tavolo l'urlante telefono. «Ma che dice questo demonio?»

Pipino tacque, l'omiciattolo parlava sommessamente all'altro telefono, e prefetto e questore cercarono di sentire che cosa dicesse, dal suo rauco al di là, il demonio.

«Non c'è più dove mettere i detenuti» Pipino disse.

Giuseppe-e-Maria sorrideva. «Lo facciamo entrare?»

L'omiciattolo aveva finito col telefono interno; e tornava al ricevitore urlante; mostrava di aver fretta, ma doveva passare dietro al seggiolone, e pareva che non potesse correre, si muoveva, pur nella sua esilità, come se avesse un ventre d'uomo obeso.

«Lo chiamo io stesso» disse a Pipino Giuseppe-e-Maria.

Egli andò verso la porta, mentre l'omiciattolo diceva nel telefono: «Abbiamo trovato... Ritelefono io tra mezz'ora».

«Come? Come?» Pipino gli chiese. «Abbiamo trovato dove metterli?»

«In qualche modo sì» rispose l'omiciattolo. «All'Ospedale Psichiatrico.»

«Al manicomio?»

XC. Ma entrava Clemm, e Pipino si alzò, gli andò incontro, gli prese la mano con entrambe le sue.

«Caro. Caro...»

«Volete venire da me stasera?»

«Sapete che ho molto da fare.»

«È una piccola festa tra amici.»

«Ma stasera mi è impossibile. Mi rincresce...»

«Vi è sempre impossibile.»

«Purtroppo sì. Sempre mi rincresce.»

Passarono a quello che contava.

«Parlato ora col generale Zimmermann.»

«Avete un tribunale? Se avete un tribunale io non dico niente.»

«Non si tratta di avere un tribunale. Si tratta di fare giustizia entro le diciotto.»

«Ma perché questa furia? Noi abbiamo avuto tanti più morti di voi. E tuttavia non abbiamo furia. Abbiamo furia noi? Noi non abbiamo furia. La giustizia non deve aver furia.»

Pipino si rivolse al suo capo-gabinetto.

«Che ne dite voi? Vero che la giustizia non deve aver furia?»

«La questione è un'altra» disse l'omiciattolo.

«Qual è la questione?» chiese Giuseppe-e-Maria.

«Prego» disse Clemm. «Non si tratta di questioni.»

Erano le quattro meno un quarto. Egli si staccò dal polso l'orologio e lo mise vicino ai guanti che aveva posati sul tavolo. «Alle sedici e mezzo» disse «bisogna che io sia a San Vittore.»

Giuseppe-e-Maria strizzò l'occhio all'omiciattolo. «Vedi qual è la questione?» E guardò Pipino. «La giustizia ha diritto anche di aver furia.»

Pipino, tuttavia, riuscì a dire quello che lui non voleva. Lui non voleva prendersi la responsabilità di consegnare la gente al plotone di esecuzione. Questa era una responsabilità che toccava ai tribunali. Era un tribunale, lui? Lui non era un tribunale.

Disse Giuseppe-e-Maria: «E neghi di essere in agitazione?».

«Io non nego niente» Pipino gridò. «Io non sono in agitazione.»

Alle quattro e cinque egli non sapeva più che cosa dire e si rivolse con rabbia al suo omiciattolo.

«Perché» gridò «perché non parlate un po' voi?»

Lo calmò Giuseppe-e-Maria dicendo che non occorreva dare dei detenuti d'importanza.

«Come? Come?» Pipino esclamò.

«Mica loro» disse Giuseppe-e-Maria «ti chiedono delle personalità. Ti chiedono un certo numero di teste. Non altro.»

«Possiamo dar loro degli operai?»

«Ma si capisce. Possiamo dar loro solo degli operai.»

L'idea di poter consegnare al plotone di esecuzione solo degli operai sembrava confortante a Pipino, quasi liberatrice. Anche il suo omiciattolo sembrava trovarla apprezzabile. Come un male minore. Egli si soffiò con cura il lungo naso. Giuseppe-e-Maria rise. L'accordo fu raggiunto.

XCI. «Ne prenderemo metà» disse il capitano Clemm «da quelli degli scioperi, e metà dai politici.»

«Fate voi e il questore» Pipino disse. «Fate voi!» Soggiunse: «Purché non mi tocchiate gli intellettuali».

«Pipino ha un debole per gli intellettuali» disse Giuseppe-e-Maria.

«Intendo dire i professionisti.»

«Pipino ha un debole per i professionisti.»

«Ogni debole» disse Clemm «è comprensibile.»

«Non è questo» Pipino disse. «Ma quando si tocca uno un po' conosciuto, addio! Tutti ne parlano.»

«Pipino ha sempre paura che si parli.»

«Io non dico che ho paura. Io dico solo che non voglio storie inutili. Se la vedano i tribunali, coi professionisti.»

Erano le quattro e un quarto. Clemm dettò all'omiciattolo la dichiarazione di prelievo degli ostaggi che lui avrebbe firmato. Dettò la cifra. Centodieci, disse.

«Centodieci?» disse l'omiciattolo. Non scrisse. «Perché centodieci?»

«Vuole dire» disse Giuseppe-e-Maria «che sono undici tedeschi.»

«I tedeschi sono nove» l'omiciattolo disse.

Egli aveva la fronte sudata, e Pipino, nel suo seggiolone, si era di nuovo presa la testa tra le mani. «Ouh!» Pipino disse. Aveva sbadigliato.

«Ci sono anche due cani» disse Clemm. «Uno ieri sera, il miglior alano della Gestapo. E uno stamattina, la mia cagna Greta.»

Disse Giuseppe-e-Maria: «Ma l'uomo che ha ucciso quello di stamattina è stato preso. Non è stato preso?».

«Lo vedrò tra poco» Clemm rispose.

«Che uomo è?» Pipino domandò.

«Non è un professionista» disse Giuseppe-e-Maria.

L'omiciattolo sudava anche dal naso.

«E che cos'è? L'hai veduto?»

«Oh! Un venditore ambulante!»

«Un commerciante?»

«Un venditore ambulante!»

L'omiciattolo si asciugò con un fazzoletto il sudore della fronte. «Questo è fuori anche della vostra regola» disse.

«Però» disse Giuseppe-e-Maria.

L'omiciattolo si girò verso di lui.

«Però che cosa?»

Per cinque minuti altercarono, omiciattolo e Giuseppe-e-Maria, e le loro voci continuarono a crescere.

«Ma caro!» disse Giuseppe-e-Maria. «Ma se non avete dove mettere i detenuti!»

Intervenne Pipino: «Andiamo. Cedete metà per uno. Facciamo cento in tutto e non se ne parli più».

Egli si rivolse a Clemm.

«Sta bene come dico?»

Clemm sorrise. Di nuovo l'accordo fu raggiunto. Ma, a piccoli passi, magro, minuscolo, eppure come se reggesse invisibilmente una pancia d'uomo obeso, l'omiciattolo uscì dalla stanza. Fu Giuseppe-e-Maria che terminò di scrivere la dichiarazione di prelievo, sotto la dettatura di Clemm.

«Ouh!» Pipino disse.

Ancora una volta egli aveva sbadigliato. Ancora una volta si era presa la testa nelle mani. Pareva che sonnecchiasse, e Clemm si riallacciò al polso l'orologio.

«Sono in ritardo» egli disse.

Quando aprì lo sportello della sua automobile cercò i cani. «E i cani?» gridò. *Und die Hunde?*

Gli ricordarono come avesse ordinato, all'ultimo momento, di tirarli giù dalla macchina e lasciarli all'albergo.

Egli ordinò di ripassare dall'albergo.

«Presto!» ordinò. «*Räsch! Und dann schnell nach San Vittore.*»

XCII. Nell'albergo i cani erano stati riportati di sopra da un ragazzo delle S.S. Egli non sapeva che avessero ognuno la propria camera. «Portali di sopra» gli avevano detto. E, di sopra, egli li aveva chiusi tutti e due nella camera del capitano: né aveva tolto loro la museruola.

Gudrun e Blut, per un po', si guardarono. Furono quieti, seduti a guardarsi, la testa alta. Ma poi Gudrun si alzò, si mise a girare intorno a Blut.

«Che vuoi?» chiese Blut. «*Was willst du?*»

«Uoh!» disse Gudrun. «Uoh!» e gli girava intorno.

Si alzò Kaptän Blut. «*Was willst du? Was wills du?*»

Egli rimaneva fermo, solo si girava un poco mentre la cagna gli girava intorno, e la sua domanda diventava sempre più rabbiosa. «*Was willst du eigentlich? Was willst du?*»

«Uoh!» rispondeva Gudrun.

Gudrun era vecchia e forte; era una lupa. Blut era giovane e meno forte; più piccolo di lei, ma, ancora dicendo «che vuoi?» abbassò il capo e le sentì il sesso.

Gudrun urlò di furore.

«Uohu!» urlò. E rovesciò indietro Katpän Blut, cercando di morderlo attraverso la museruola.

«*Was willst du denn?*» Blut chiese.

Egli si era rialzato, ma stava in guardia, e di nuovo Gudrun gli girava intorno.

«Voglio mangiarti» disse Gudrun. «*Ich will dich fressen.*» Blut rise.

«Ah! Ah!»

«Perché ridi? *Ich will dich fressen*» disse Gudrun.

«*Ah! Ah!*» Blut disse. «*Mit jenem Zeug?*»

Al chiasso che facevano entrò nella stanza Figlio-di-Dio. «Perbacco!» disse. Chiuse Gudrun nella sua camera, poi tornò e prese Blut.

«Che avevi da dire con Gudrun?» gli disse. «È già nel callo. Non dirle niente dei nostri pensieri.»

Introdusse nella sua camera Kaptän Blut, e, in un piattino che aveva da parte, gli recò da mangiare, gli recò anche da bere.

«Uh!» diceva Blut.

«Uh!» Figlio-di-Dio gli diceva.

Gli tolse la museruola, e Blut gli toccò col muso la mano, si mise a mangiare, e un po' mangiava, un po' rialzava la testa e gli toccava la mano.

«Che te ne viene di quello che fai?» Figlio-di-Dio gli disse. «Chiuso in una camera, digiuni lunghi, e carne cruda ogni tanto. Ti piace questo? Quello che fai lo fai per questo. Io nei tuoi panni sarei già lontano.»

Rialzò la testa Blut. «Uh!» gli disse. E gli toccò la mano.

«Dove volevano portarti ora?» disse Figlio-di-Dio. «Non nasce più erba dove loro portano. E sempre è gentaglia tra la quale vai. Sporca, voglio dire. Piace a te lo sporco? Meglio coi ladri di polli, Blut. Devi cambiare.»

Di nuovo Blut gli toccò la mano, anche gliela leccò, e leccò l'acqua, tirò su un boccone. «Bau, bau» disse.

«Bau» disse Figlio-di-Dio. «Come no? Bau, bau. Non senti la puzza che fanno? E non puoi nemmeno dire di che sia. Quella di jena, puoi dirla. È di jena. Lo stesso quella di avvoltoio. È di avvoltoio. Ma la loro? E anche tu la farai se resti con loro. Come il capitano Clemm e come Cane Nero. Come Cane Nero vuoi puzzare?»

«Vau» disse Blut.

«Sì, caro» Figlio-di-Dio continuò. «Vau, vau. Meglio per

te farcirti il pelo di letame e lasciarti crescere i cardi sulla schiena. Meglio diventare un giardino pensile.»

«Uhu!» disse Blut.

«Anch'io lo dico. Uhu! Bisogna che tu cambi.»

«Uhu! Bau, bau!»

«Così proprio! Uhu! Perché è brutto quello che fai.»

«Bau, bau!»

«Lo sai quello che fai? Bau, bau. Loro ti dicono di cercare e tu cerchi. Ti dicono di trovare e tu trovi. Piglialo, ti dicono, e tu pigli. Lo sai che cosa pigli? Bau, bau.»

«Bau, bau.»

«Pigli uno come me. Bau, bau.»

«Uhu!» disse Blut.

«Ti sembra onesto?» disse Figlio-di-Dio. «Bau. Bau. Pigli uno come me, e lo dai a loro. Ti sembra onorato?»

Figlio-di-Dio parlava stando in terra con le mani, e Blut gli leccò la faccia. «Non verresti con me?» Figlio-di-Dio gli chiese.

«Uh!» Blut rispose.

«Ti do tempo fino a domani» Figlio-di-Dio continuò. «Pensaci e ne riparleremo.»

Raccolse il recipiente dell'acqua, il piatto e si rialzò; andò verso la porta.

«Bau, bau» disse Blut.

«Bau, bau» Figlio-di-Dio rispose.

Kaptän Blut lo seguiva, sembrava volesse uscire con lui.

«Vuoi venire via con me ora stesso?» gli chiese Figlio-di-Dio.

«Bau» rispose Blut.

«Ma io vado via stasera» disse Figlio-di-Dio. «Se vuoi» gli disse «ti porto via stasera.»

Uscì, e vide un ragazzo delle S.S. nel corridoio. «*Wo ist der andere Hund?*» chiese in tedesco il ragazzo. Egli teneva

Gudrun al guinzaglio. Disse in tedesco che il capitano Clemm aspettava giù in macchina i suoi cani. E ancora chiese dove fosse l'altro cane. «*Wo ist der andere Hund?*»

«Io non capisco il tedesco» Figlio-di-Dio rispose.

«*Zwei Hunde*» disse il ragazzo. «Questo uno *Hund*. Dove secondo *Hund?*»

«Io non capisco» Figlio-di-Dio rispose.

XCIII. L'uomo che aveva ucciso la cagna Greta era stato portato a San Vittore verso le tre e mezzo, dopo una telefonata del capitano Clemm ricevuta in caserma dalla Prefettura.

San Vittore era pieno di militi della G.N.R., sugli spalti del recinto, nei cortili, nel corpo di guardia. L'uomo fu veduto, mentre gli prendevano le impronte digitali, da un milite che lo conosceva.

«Eh Giulaj» lo chiamò il milite. «Cos'è che hai rubato?»

«Niente Manera» Giulaj rispose. «Che rubo io? Tu sai che non rubo.»

«Solo sul peso rubi?»

«Io non rubo.»

«E perché allora sei qui?»

«È per politica.»

«Eh?» Manera disse. «Sei qui per politica?»

I compagni militi chiesero a Manera chi fosse quell'uomo.

«Veniva all'Albergo Popolare.»

«Lo conosci di lì?»

«Dormiva nella mia stessa camerata.»

«Eravate amici, allora?»

«Non si può dirlo. Ma mi ha insegnato a scaldarmi i piedi per poter dormire.»

«Ti avrà insegnato a scaldarteli dalla bocca.»

«Col vino? No. Con un trucco.»

«Con un trucco?»

«Egli conosce due o tre trucchi. Conosce anche un trucco per guarire i geloni.»

Il gruppetto di militi guardava l'uomo Giulaj da lontano.

«Cos'è?» uno domandò. «È barese?»

«No. No. È di Monza.»

«Così scuro? Sembra un barese.»

«Invece è di Monza.»

«E perché» un altro domandò «porta le pantofole?»

«Si vede che non guadagna abbastanza da comperarsi le scarpe.»

«Non poteva mettersi nella milizia?»

«È qui per politica.»

«È qui per politica?»

«Io credevo che fosse un ladruncolo. È qui per politica?»

I militi guardarono più attentamente Giulaj che ora stava rispondendo alle domande dello scrivano.

«Padre.»

«Vincenzo.»

«Madre.»

«Parisina.»

«Parisina come?»

Disse un milite: «Cioè. È contro la milizia».

XCIV. Giulaj fu tolto alla vista dei militi, fu fatto passare, dietro un cancello, in un androne, poi in un corridoio.

«Dove lo conducete?» gridò un graduato dei secondini.

«Teh! Alla visita.»

«Ma non occorre» il graduato gridò. «Dobbiamo tenerlo da parte per il capitano.»

«Lo abbiamo già registrato.»

Il graduato bestemmiò. «Chi vi ha detto di registrarlo? Non c'era bisogno di registrarlo.» Di nuovo egli bestemmiò. Di nuovo disse che si trattava di tenerlo qualche ora fino all'arrivo del capitano.

«Dobbiamo pur tenerlo in un posto o in un altro» il secondino rispose.

Decisero di tenerlo nel ricovero antiaereo.

Diviso in gabbioni il ricovero era pieno di detenuti non registrati, per lo più operai fermati durante l'ultimo sciopero.

«Di qua» disse il secondino.

Lo chiusero nel primo dei gabbioni, e, alla luce elettrica che lo illuminava, Giulaj vide seduti in terra, a ridosso delle pareti, quattro persone da un lato, tre da un altro, e un numero imprecisato ne vide che si muovevano verso il fondo.

Tutti erano in tuta turchina, e uno soltanto, un uomo di corporatura gigantesca che sedeva in terra il più vicino al cancello, sollevò il capo a guardarlo.

«Aspettate anche voialtri» Giulaj chiese «il capitano?»

Gli rispose l'uomo dalla corporatura gigantesca. «Noi aspettiamo il capotreno» rispose.

«Io aspetto il capitano» disse Giulaj. «Tra un'ora o due forse mi rimettono fuori» soggiunse. «Non volevano nemmeno registrarmi.»

L'uomo dalla corporatura gigantesca si rivolse agli altri, prima a quelli seduti dalla sua stessa parte, poi a quelli seduti di faccia, infine a quelli in fondo.

«Che sia scemo?» disse.

Qualcuno degli altri allora lo guardò, ma per un secondo, e Giulaj vide le facce loro.

Dove le aveva già vedute? Gli pareva di averle tutte già vedute, ma in qualche cosa di spaventoso, e d'un tratto gli parve che fossero le facce vedute morte quella mattina sul marciapiede. Erano le stesse, con gli occhi di viventi invece che di morti. Arrossì e si appoggiò al muro, mettendo l'uno sull'altro i suoi piedi calzati di pantofole.

«Credevo che vi avessero preso oggi» disse.

E tirò fuori le due manciate di castagne che ancora aveva nelle tasche, le porse loro. «Volete?» disse loro. «Non le volete?»

XCV. Di sopra, il gruppetto di militi che parlava di lui, si era portato nel primo cortile. C'era, all'aperto, il sole; vi faceva meno freddo che negli interni non riscaldati.

«Pensare» uno disse. «Eravate quasi amici e ora siete uno contro l'altro.»

«Perché siamo» disse Manera «uno contro l'altro?»

«Non siete uno contro l'altro? Tu sei di qua, e lui è di là.»

«Io sono di qua, e lui di là?»

«Non sei nella milizia tu? Tu sei nella milizia e lui è contro la milizia.»

«Oggi» disse un terzo «anche due fratelli possono trovarsi uno contro l'altro.»

«Ma noi non siamo due fratelli» Manera disse.

«Pure è un esempio» disse il terzo «che questa è una guerra civile.»

Andarono avanti a parlare il primo milite e il terzo. Perché si chiamava civile una guerra in cui due fratelli potevano trovarsi uno contro l'altro? Non si sarebbe dovuto chiamarla, anzi, incivile?

Disse un quarto milite: «Si chiama civile perché non è militare».

157

«Come non è militare!» disse il terzo. «Non siamo militari noi? Noi siamo militari.»

«Ma quelli che sono contro di noi» disse il quarto «non sono militari. Per questo noi li fuciliamo. Perché non sono militari.»

Manera ascoltava, fuori ormai dal discorso. Aveva castagne in tasca, e ne prendeva in mano una, la sgusciava, la masticava. «Non so» diceva ogni tanto. A lui non pareva che lui e quel Giulaj fossero l'uno contro l'altro. Era contro di lui Giulaj? Ed era contro Giulaj lui? Come? In qual modo? A lui pareva soltanto che lui riceveva uno stipendio, e Giulaj non lo riceveva.

«Mettiamo» disse un quinto «che dovessero fucilare questo Giulaj...» Si rivolse a Manera. «E mettiamo che tu» soggiunse «fossi scelto a far parte del plotone di esecuzione per fucilarlo.»

«Giusto!» disse il terzo. «Questo appunto io volevo dire.»

«Come» Manera disse.

«Non ti seccherebbe» disse il quinto «di doverlo fucilare tu stesso?»

Manera masticava.

«Oh!» egli disse. «Credo che a me seccherebbe di fucilare anche uno che non conosco.»

«Secca a tutti finché non si comincia» disse il terzo.

«Io» disse il primo «non mirerei. Io sparerei fuori.»

«Cose della prima volta» disse il terzo.

«Io ho mirato e sparato dentro anche la prima volta» disse il quarto.

XCVI. Suonò allora l'attenti dall'androne dell'ingresso, un'automobile si fermava, e Giulaj, di sotto, finiva di spiegare il suo metodo per tenersi caldi i piedi.

158

Soltanto l'operaio dalla corporatura gigantesca lo ascoltava. Era stato lui che aveva accettato da Giulaj le castagne, era stato lui che aveva risposto a qualche domanda che Giulaj, sempre appoggiato al muro, sempre coi suoi piedi l'uno sull'altro, aveva fatto. Così Giulaj, saputo ch'essi dormivano sulla nuda terra, si era messo d'un tratto a parlare del suo metodo per tenersi caldi i piedi anche se non si avevano coperte.

«Tutto quello che occorre è un po' di cotone» disse.

Ma mentre ancora parlava arrossì di nuovo, parve capire di aver detto delle cose inutili, di nuovo si ricordò che aveva già vedute morte le facce loro. Si strofinò l'uno contro l'altro i suoi piedi calzati di pantofole, e abbassò lo sguardo.

In basso il suo sguardo camminò. Andò da piede a piede, e su due piedi che stavano ignudi sopra la fredda terra si fermò; li vide grigi, enormi, con qualche cosa di nero e lento che colava dal dorso loro.

«Guardi i miei piedi?» l'operaio dalla corporatura gigantesca domandò.

Egli non rispose; vide accanto ai piedi, più piccole di essi, le scarpe vuote, e di nuovo pensò a quello che aveva veduto sui marciapiedi del largo Augusto e sotto il monumento: i morti in fila, i piedi dei morti in fila, e il vecchio ignudo tra essi, padre dell'uomo.

E qui che cos'era? Era lo stesso: morente ancora quello che laggiù aveva veduto morto.

«Perché non te li copri?» disse.

Si chinò come dinanzi al vecchio, e il cancello venne aperto.

«Eccolo» dissero, dietro a lui.

Due uomini erano entrati, e altri erano fuori, in uniformi di colori diversi, grige, grigio-verdi, marron. Dei due ch'erano entrati uno era alto, e gli parve, nell'uniforme tedesca, un bell'uomo. Pensò che non sembrava nemmeno un tedesco, doveva essere il capitano di cui gli avevano detto, e non pensò che fosse venuto per liberarlo.

Egli non pensava più a una propria liberazione: come se non la desiderasse più. Si rialzò, e vide che il bell'uomo in uniforme tedesca lo guardava; gli parve che lo guardasse con un'esagerata attenzione, con grande serietà.

«Sì, è lui» sentì che l'altro diceva.

Gli dissero di uscire; ed uscì; e intanto il capitano domandava chi fossero quegli operai.

«Sono operai dello sciopero» l'altro rispose.

«Da quando sono qui?»

«Da metà dicembre. Dall'ultimo sciopero.»

Il capitano ordinò che uscissero tutti.

«Tutti fuori» l'altro disse.

«Un momento» disse il capitano. Zimmermann voleva che i più giovani fossero lasciati da parte per gli invii di lavoratori in Germania. «Fuori solo i più vecchi» disse. «Dai trentacinque anni in su.»

Solo tre degli operai si mossero, due dal fondo, uno da terra, e uno aveva i capelli bianchi.

«Perché non ti muovi tu?» chiese il capitano all'operaio dalla corporatura gigantesca.

«Egli ha i piedi malati» rispose l'altro in uniforme.

Il capitano chiamò due degli uomini ch'erano fuori.

«Portarlo» disse.

Poi passò davanti a tutti, salì per primo la scala, e fu una colonna di uomini che attraversò i corridoi e uscì nel cortile dov'era Manera: il capitano per primo, Giulaj subito dietro, gli altri detenuti nel mezzo, e in ultimo, portato sulle spalle da due uomini, l'operaio dalla statura gigantesca.

XCVII. «O chi portano a quel modo?» Manera esclamò.

Quattro camion erano adesso nel cortile, coperti; e di militi, tre o quattro gruppi. Un quinto gruppo era di uomini con la testa di morto sul berretto basco. Un ragazzo biondo delle S.S. stava in disparte coi due cani al guinzaglio. E un tale dal grande cappello, la giacca di cuoio e uno scudiscio nero venne all'improvviso fuori da una porta, si avvicinò in fretta al capitano Clemm.

«Cento in tutto» gli disse il capitano.

«Quanti già qui?» disse l'altro.

Egli era più alto del capitano, largo nella giacca di cuoio, e contò i detenuti di sopra alla testa del capitano. Indicò l'operaio che portavano in spalla.

«Lui pure?» disse.

«Lui pure» disse il capitano.

L'uomo rientrò nelle prigioni, e il suo passo fu pesante attraverso il cortile, un po' ondulato, come d'un sensale a una fiera. Nelle prigioni egli scese e salì, andò giù nel ricovero, andò nelle celle, e aveva dietro a lui uomini con la testa di morto sul basco nero.

Gli aprirono una prima porta.

«Quanti qui?»

«Nove.»

«Ah, nove? Fuori tutti e nove.»

I nove furono mandati in cortile; e nella cella rimase una branda, un materasso in terra, coperte in terra; e letame.

Gli aprirono una seconda porta.

«Quanti?»

«Dieci.»

Quattro erano seduti sull'unica branda della cella.

«In piedi» egli gridò.

Li mandò fuori, e guardò di nuovo. Uno masticava pane, appoggiato al muro sotto la finestra; e lo mandò fuori. Un altro, mentre lui guardava, si grattò un gomito; e lo mandò pure fuori. Mandò fuori un terzo che stava immobile con le mani dietro la schiena, e a un quarto ch'era per terra, avvolto in una coperta, domandò:

«Che hai? Sei malato tu?»

Quello lentamente si alzò, la coperta sulla testa, e lui gli disse:

«Tu rimani.»

Lui stesso richiuse la porta sull'uomo della coperta e l'altro, ma alla prossima cella, quando vide rannicchiato in branda uno barbuto e giallo, la bocca aperta, gridò:

«Sei malato anche tu? Siete tutti malati qua dentro?»

Lo fece tirar fuori dalla branda; e si vide che un secondo era ai piedi del primo, stando allungato contro il muro, più giallo e magro, piccolo.

«Fuori, fuori» egli disse.

L'uomo fu messo in piedi, quasi un ragazzino, la testa grossa di neri capelli ricciuti.

«Chi altri qui sta male?» egli chiese.

Uno alzò timidamente la mano, ma un quarto che gli era accanto gli diede una gomitata.

«Che c'è?» egli disse.

«Io ho mal di denti.»

«Fuori allora.»

Lo fece uscire e guardò quello della gomitata.

«Che volevi dirgli tu? Fuori anche tu.»

Di nuovo sbatté lui stesso la porta sopra i rimanenti, e i detenuti erano condotti via, ammanettati a due a due, riempiendo il corridoio. Egli, continuando, scelse per un po' con cura; uno o un paio per cella. Guardava lungamente, e a una faccia che lo fermava per una qualunque cosa, o perché più giovane delle altre, o perché più vecchia, o perché quasi sorridente, o perché troppo afflitta, «quello» diceva, «quello». Una volta guardò e non scelse nessuno, fece richiudere senza aver preso. Ma in ultimo, tra gli operai del ricovero antiaereo, si limitò ad ordinare che venissero fuori tutti coloro che avevano più di quarant'anni.

E ormai il suo scudiscio fischiava, egli lo agitava di sopra al capo, egli aveva cominciato ad alzare la voce che risuonava nelle vie di Milano quando si chiudevano portoni e negozi, e la gente diceva: «Cane Nero! Cane Nero!».

XCVIII. Nel cortile i detenuti arrivavano in fila, a due a due, il capitano li osservava, e a due a due essi salivano sui camion.

«Presto» diceva il capitano. «Presto.»

Si rivolgeva ai suoi ragazzi biondi che guardavano dai camion e diceva loro: «*Man muss sich beeilen. Es ist fast dunkel*».

«*Wie viele!*» dicevano tra loro i ragazzi biondi.

«*Warum so viele?*»

«*Wie viele!*»

«*So viele auf einmal?*»

L'operaio dalla statura gigantesca era stato messo a posto, ma c'era sempre qualcuno che veniva portato a spalla: ed era, nel cortile senza più sole, come se sempre fosse lui; era come se fosse la testa di quegli uomini, alta, di loro, per andare incontro ai morti.

A due a due, salivano, e ora avevano movimenti rapidi, una strana agilità nata in quel momento, anche loquacità l'uno con l'altro, e anche una specie di allegria.

«Novantanove» contò uno che segnava cifre in un foglio di carta tenuto su un cartone.

«Così basta» disse il capitano.

«E lui?» chiese l'uomo dallo scudiscio nero.

Indicò Giulaj ancora a terra, fermo, contro il muro, dietro il capitano.

«Lui no» il capitano disse. «Andate.»

Col suo passo da sensale, l'uomo dallo scudiscio lasciò il cortile; e il grande cancello fu spalancato, i camion avviarono i motori, cominciarono, fari accesi, a muoversi.

La luce dei fari mostrò che presto, tra una diecina di minuti, sarebbe stato buio. Passò sul cortile, quasi marziale, con festa. E mentre passava, da un camion già sotto l'androne, una voce d'uomo si isolò, e si alzò nitida, innocente, com'era la stessa luce.

«Viva!» gridò.

Da tutti i camion rispose il coro che sempre ha risposto, tutti gli uomini all'uomo. «Viva» rispose.

E Giulaj non esitò. Si strofinò l'uno contro l'altro i suoi piedi calzati di pantofole, e anche lui, nel cortile quasi buio, quasi vuoto, disse:

«Viva!»

XCIX. «Viva che cosa?» Manera disse.

Tutti i militi del suo gruppo erano lì ancora: quello che aveva parlato per primo, e quello che aveva parlato per terzo: il Primo, il Terzo, il Quarto, il Quinto.

«Sono comunisti» disse il Terzo. «Non sono comunisti?»

«Comunisti o quasi» il Primo disse.

«Se non lo sono lo diventeranno» disse, e rideva, il Quinto.

«E dunque!» disse il Terzo. «Hanno voluto dire viva il comunismo.»

«Chi lo sa» il Quinto disse.

Manera guardava, verso l'altro lato del cortile, Giulaj.
«Io non so» egli disse.

Aveva voluto dire viva il comunismo, Giulaj?

Anche il capitano guardava Giulaj. Si era voltato subito
al suo viva: lo guardò a lungo, con la seria attenzione di
prima, e gli chiese piano:

«A chi, viva?»

Giulaj non rispose; stava sempre appoggiato al muro, e
sempre si strofinava, l'uno contro l'altro, i piedi calzati di
pantofole.

«Il tuo amico» disse a Manera il Primo «l'ha scampata
per miracolo.»

«Mah!» Manera disse. «Credo che non abbia fatto
nulla.»

«Pure ho paura che guasti le cose» il Quarto disse.

«Perché?» Manera chiese.

Il capitano non si avvicinò a Giulaj; lo chiamò.

Giulaj si staccò, con le spalle, dal muro, ma vi rimase
appoggiato con uno dei piedi che aveva a poco a poco sollevato da terra fin quasi all'altezza delle ginocchia.

«Non lo vedi» disse il Quinto «come si comporta?»

Di nuovo il capitano lo chiamò.

«Vieni qui» gli disse.

E Giulaj lasciò il muro anche col piede.

«Sei tu» il capitano disse «che hai ucciso la mia cagna
Greta?»

«Capitano» Giulaj cominciò.

Egli voleva raccontare che cos'era accaduto, ma il capitano ripeté la domanda. «Sei stato tu?» domandò.

«Sono stato io» Giulaj rispose.

Vedeva serietà in quell'uomo, e per questa serietà nella
sua faccia, non per altro, gli pareva che dovesse risponder-
gli.

«Era» soggiunse «vostra?»

Il capitano aveva un frustino in mano; sottile, con un'orecchia di cuoio. Si voltò, e chiamò il ragazzo delle S.S. che teneva al guinzaglio i cani.

«Führe die Hunde her» gli disse in tedesco.

Il ragazzo biondo gli portò i due cani, Blut, e la lupa nera.

«Gudrun» disse il capitano. «Kaptän Blut.» Si chinò su di loro a liberarli dal guinzaglio, e intanto che li liberava li accarezzò. «Gudrun» disse di nuovo. «Gudrun.» Strinse i suoi denti, carezzando i cani, fino a farseli risuonare come se rompesse noci in bocca: poi liberò i cani della museruola.

«Anche questi due cani» disse a Giulaj «sono miei.»

«Ma che cosa vuol fare?» Manera disse.

Coi suoi quattro compagni militi egli era sull'altro lato del cortile, il cortile era quasi buio, e da un lato all'altro si vedeva ormai poco, né si sentiva tutto quello che veniva detto.

«Avete molti cani?» Giulaj domandò.

«Molti» disse il capitano «centinaia.»

Si avvicinò a Giulaj e gli strappò via la giacca, mise a nudo le maniche a brandelli della camicia.

«Che hai sulle braccia?» chiese.

Giulaj aveva segni rossi sulle braccia, sotto gli strappi.

«È stato in caserma» rispose.

«Te l'hanno fatto in caserma?» disse il capitano. Lo guardò, soggiunse: «E questi segni sul collo te li hanno fatti pure in caserma?».

«Questo è stato in piazza» Giulaj rispose.

I due cani annusavano i piedi di Giulaj, ed egli se li mise, pur senza avere dove appoggiarsi, l'uno sull'altro. Il capitano diede ai cani la giacca di Giulaj. «Spogliati» poi gli disse.

166

«Come, capitano?» Giulaj disse. «Debbo spogliarmi?»
Egli era, forse, arrossito; ma non si vedeva, in quell'aria
scura. «Debbo spogliarmi?» disse.

Cominciò a spogliarsi e pensava che il capitano volesse
vedere come lo avessero pestato in caserma. Era la sua
grande serietà che lo vinceva.

«Ma perché? Fa un po' freddo» disse.

«Già» disse il capitano.

C. Lentamente, Giulaj si spogliava, e il capitano prendeva i suoi stracci, li gettava ai cani.

«Strano» Manera disse. «Ma che gli vuol fare?»

«Dicono» disse il Terzo «che sia un burlone.»

«E che burla vuol fargli?» Manera disse.

I cani annusavano gli indumenti; Gudrun si mise a lacerare la giacca.

«Perché» disse Giulaj «date la mia roba ai cani?»

Si chinò per togliere a Gudrun la sua giacca. «Me la
strappano» disse. Ma Gudrun saltò, ringhiando, contro di
lui; lo fece indietreggiare.

«Ja» gridò il capitano. «*Fange ihn!*»

«Che dice?» Manera disse.

Ringhiando, Gudrun, le zampe sulla giacca, ricominciò
a lacerare la vecchia stoffa impregnata dell'uomo. Essa si
accontentava di questo, ora.

«*Fange ihn!*» ordinò di nuovo il capitano.

Ma la cagna Gudrun non eseguì. Lacerava rabbiosa la
vecchia giacca, e anche portò via la camicia a Blut che
l'annusava.

«Non ti preoccupare» disse Manera a Giulaj. «Ti darà il
capitano altro da vestirti.»

Tutti e cinque i militi si erano avvicinati per vedere; facevano ormai cerchio. Guardavano Giulaj, ormai seminu-

do, e avevano già voglia di riderne; guardavano i cani, Blut come annusava, Gudrun come lacerava; e già ridevano.

«Oh!» disse il Primo.

«Oh! Oh!» disse il Terzo.

A grandi passi, dalla luce d'una porta, tornò nel cortile l'uomo dal grande cappello e dallo scudiscio nero. Guardò un momento quello che accadeva, poi andò al suo posto; si avvicinò al capitano.

«Telefonano se non si può rimandare a domattina» egli disse.

«E perché?»

«Troppo buio.»

«Troppo che cosa?»

«Buio. Non possono eseguire.»

«Buio?» il capitano disse. «Accendano un paio di riflettori. Non hanno riflettori all'Arena?»

Si mosse per andare a telefonare lui.

Però tornò indietro dai due passi che aveva fatto, e rimise il guinzaglio ai cani, li diede di nuovo al ragazzo delle S.S.

«Non temere» disse a Giulaj il Manera.

Giulaj era solo in mutandine, con le pantofole ai piedi.

«Ma io ho freddo» rispose.

Stava dove il capitano lo aveva lasciato, e continuamente si passava le mani sul petto, sull'addome, sulle spalle, e l'un piede o l'altro sull'opposta gamba, fin dove poteva arrivare. Faceva ridere, e i militi ridevano. Non troppo, ma ridevano.

«Oh! Oh!» ridevano.

E, al guinzaglio, i due cani, l'uno lacerava pur sempre giacca e camicia, accovacciato in terra. Blut si alzava e si sedeva, girava intorno a se stesso, annusava l'aria, guaiva.

L'altro, dal grande cappello e dallo scudiscio, guardava perplesso tutto questo, come per rendersi conto.

Che novità era questa?

Guardava.

«Ma quanto vuol tenermi così?» Giulaj disse. «Io ho freddo.»

«Non temere» Manera gli disse.

«Ma che cosa vuol farmi?»

«Niente, Giulaj. Ormai è passata.»

«Ma io ho freddo. Morirò dal freddo.»

«Vuol farti solo paura» Manera disse.

Il capitano ritornò.

CI. Egli guardò i militi che facevano cerchio, Giulaj in mutandine, e si chinò a liberare i cani, di nuovo, dal guinzaglio. Restò, tra i due cani, chino, grattando loro nel pelo della nuca.

«Perché non ti sei spogliato?» chiese a Giulaj.

«Capitano!» Giulaj rispose. «Sono nudo!»

Col frustino dall'orecchia di cuoio Clemm indicò le mutande. «Hai ancora questo!»

«Debbo togliermi» disse Giulaj «anche le mutande?»

Quando l'uomo fu nudo del tutto, con solo le calze e le pantofole ai piedi, il capitano gli chiese: «Quanti anni hai?».

«Ventisette» Giulaj rispose.

«Ah!» il capitano disse. Lo interrogava, da chino, tra i due cani fermi sotto le sue dita. «Ventisette?» E andò avanti a interrogare. «Abiti a Milano?»

«Abito a Milano.»

«Ma sei di Milano?»

«Sono di Monza.»

«Ah! Di Monza! Sei nato a Monza?»

«Sono nato a Monza.»

«Monza! Monza! E hai il padre? Hai la madre?»

«Ho la madre. A Monza.»

«Una vecchia madre?»

«Una vecchia madre.»

«Non abiti con lei?»

«No, capitano. La mia vecchia madre abita a Monza. Io invece abito qui a Milano.»

«Dove abiti qui a Milano?»

«Fuori Porta Garibaldi.»

«Capisco» il capitano disse. «In una vecchia casa?»

«In una vecchia casa.»

«In una sola vecchia stanza?»

«In una sola vecchia stanza.»

«E come vi abiti? Vi abiti solo?»

«Mi sono sposato l'anno scorso, capitano.»

«Ah! Sei sposato?»

Egli voleva conoscere che cos'era quello che stava distruggendo; il vecchio e il vivo, e dal basso, tra i cani, guardava l'uomo nudo davanti a sé.

«È una giovane moglie che hai?»

«È giovane. Due anni meno di me.»

«Ah, così? Carina anche?»

«Per me è carina, capitano.»

«E un figlio non l'hai già?»

«Non l'ho, capitano.»

«Non lo aspetti nemmeno?»

«Nemmeno.»

Sembrava che volesse tutto di quell'uomo sotto i suoi colpi. Non che per lui fosse uno sconosciuto. Che fosse davvero una vita. O voleva soltanto una ripresa, e riscaldar l'aria di nuovo.

«E il mestiere che fai? Qual è il mestiere che fai?»

«Venditore ambulante.»

«Come? Venditore ambulante? Giri e vendi?»

«Giro e vendo.»

«Ma guadagni poco o niente.»

Qui il capitano parlò ai cani. «*Zu!*» disse loro. «*Zu!*»

Li lasciò e i due cani si avvicinarono a Giulaj.

«*Fange ihn!*» egli gridò.

I cani si fermarono ai piedi dell'uomo, gli annusavano le pantofole, ma Gudrun ringhiava anche.

«Vuol farti paura» Manera disse. «Non aver paura.»

Giulaj indietreggiava, e si trovò contro il muro. Gudrun gli addentò una pantofola.

«Lasciale la pantofola» Manera disse.

Gudrun si accovacciò con la pantofola tra le zanne, lacerandola nel suo ringhiare.

«*Fange ihn!*» ordinò a Blut il capitano.

Ma Blut tornò al mucchio di stracci in terra.

«*Zu! Zu!*» ripeté il capitano. «*Fange ihn!*»

CII. Quello dal grande cappello e dallo scudiscio scosse allora il capo. Egli aveva capito. Fece indietreggiare i militi fino a metà del cortile, e raccolse uno straccio dal mucchio, lo gettò su Giulaj.

«*Zu! Zu!* Piglialo!» disse al cane. E al capitano chiese: «Non devono pigliarlo?».

Il cane Blut si era lanciato dietro lo straccio, e ai piedi di Giulaj lo prese da terra dov'era caduto, lo riportò nel mucchio.

«Mica vorranno farglielo mangiare» Manera disse.

I militi ora non ridevano, da qualche minuto.

«Ti pare?» disse il Primo.

«Se volevano toglierlo di mezzo» il Quarto disse «lo mandavano con gli altri all'Arena.»

«Perché dovrebbero farlo mangiare dai cani?» disse il Quinto.

«Vogliono solo fargli paura» disse il Primo.

Il capitano aveva strappato a Gudrun la pantofola, e la mise sulla testa dell'uomo.

«*Zu! Zu!*» disse a Gudrun.

Gudrun si gettò sull'uomo, ma la pantofola cadde, l'uomo gridò, e Gudrun riprese in bocca, ringhiando, la pantofola.

«Oh!» risero i militi.

Risero tutti, e quello dal grande cappello disse: «Non sentono il sangue». Parlò al capitano più da vicino. «No?» gli disse.

Gli stracci, allora, furono portati via dai ragazzi biondi per un ordine del capitano, e quello dal grande cappello agitò nel buio il suo scudiscio, lo fece due o tre volte fischiare.

«Fscì» fischiò lo scudiscio.

Fischiò sull'uomo nudo, sulle sue braccia intrecciate intorno al capo e tutto lui che si abbassava, poi colpì dentro a lui.

L'uomo nudo si tolse le braccia dal capo.

Era caduto e guardava. Guardò chi lo colpiva, sangue gli scorreva sulla faccia, e la cagna Gudrun sentì il sangue.

«*Fange ihn! Beisse ihn!*» disse il capitano.

Gudrun addentò l'uomo, strappando dalla spalla.

«*An die Gurgel*» disse il capitano.

CIII. Era buio, i militi si ritirarono dal cortile, e nel corpo di guardia Manera disse: «Credevo che volesse fargli solo paura».

Si sedettero.

«Perché poi?» disse il Primo. «Strano!»

«Non potevano mandarlo con gli altri all'Arena?» disse il Terzo.

«Forse è uno di quelli di stanotte» il Quarto disse.

«E non potevano mandarlo con gli altri all'Arena?»

«Oh!» Manera disse. «Verrebbe voglia di piantare tutto.»

«Ci rimetteresti tremila e tanti al mese.»

«Non potrei andare nella Todt? Anche nella Todt pagano bene.»

«Mica tremila e tanti.»

«E poi è lavorare.»

«È lavorare molto?»

Sedevano; un po' in disparte dagli altri militi che erano nel corpo di guardia, riuniti in quattro da quello che avevano veduto, e parlavano senza continuità, con pause lunghe; e pur seguivano il loro filo, lo lasciavano, lo riprendevano.

«Questa» disse il Terzo «è la guerra civile.»

«Far mangiare gli uomini dai cani?»

«È uno di quelli di stanotte, senza dubbio.»

«Deve aver fatto qualcosa di grosso.»

Entrò e si unì loro il Quinto, ch'era rimasto fuori.

«Io non so» Manera disse. «Che poteva fare? Era uno che vendeva castagne.»

Il Quinto disse: «Ho saputo».

«Che cosa?»

«Quello che ha fatto.»

«Ha ucciso» disse il Quinto «un cane del capitano.»

Tacquero di nuovo, a lungo; poi uno ricominciò.

«Certo» disse «quei cani poliziotti valgono molto.»

Ricominciarono su questo a parlare. Valevano. Non valevano. Altri militi si avvicinarono, si unirono al discorso. L'uomo fu dimenticato. E venne l'ora che Manera smontava: si alzò in piedi, stirò le sue membra di milite, sbadigliò.

CIV. L'uomo, si dice. E noi pensiamo a chi cade, a chi è perduto, a chi piange e ha fame, a chi ha freddo, a chi è malato, e a chi è perseguitato, a chi viene ucciso. Pensiamo all'offesa che gli è fatta, e la dignità di lui. Anche a tutto quello che in lui è offeso, e ch'era, in lui, per renderlo felice. Questo è l'uomo.

Ma l'offesa che cos'è? È fatta all'uomo e al mondo. Da chi è fatta? E il sangue che è sparso? La persecuzione? L'oppressione?

Chi è caduto anche si alza. Offeso, oppresso, anche prende su le catene dai suoi piedi e si arma di esse: è perché vuol liberarsi, non per vendicarsi. Questo anche è l'uomo. Il Gap anche? Perdio se lo è! Il Gap anche, come qui da noi si chiama ora, e comunque altrove si è chiamato. Il Gap anche. Qualunque cosa lo è anche, che venga su dal mondo offeso e combatta per l'uomo. Anch'essa è l'uomo.

Ma l'offesa in se stessa? È altro dall'uomo? È fuori dall'uomo?

Noi abbiamo Hitler oggi. E che cos'è? Non è uomo? Abbiamo i tedeschi suoi. Abbiamo i fascisti. E che cos'è tutto questo? Possiamo dire che non è, questo anche, nell'uomo? Che non appartenga all'uomo?

Abbiamo Gudrun, la cagna. Che cos'è questa cagna? Abbiamo il cane Kaptän Blut. Che cosa sono questi due cani? E il capitano Clemm, che cos'è? E il colonnello Giuseppe-e-Maria? E il prefetto Pipino? E Manera Milite? E i militi? Noi li vediamo. Sappiamo che cosa possono dire e che cosa possono fare. Ma che cosa sono? Non dell'uomo? Non appartengono all'uomo?

CV. Prendiamo l'esempio, di loro, il più umile e facile. Nemmeno Manera Milite. Ma Blut, addirittura, il cane.

Se Figlio-di-Dio è con Blut, questo cane Blut è nell'uomo. Egli, oggi, voleva andare via con Figlio-di-Dio, seguirlo. Ma Figlio-di-Dio, alle quattro e mezzo, era nel suo lavoro; ha dovuto dirgli: «Abbi pazienza fino a stasera».

E Blut: «Bau» gli ha detto. Voleva lo stesso seguirlo.

«Stasera tornerò a prenderti» Figlio-di-Dio gli ha detto.

Così, finito il lavoro, Figlio-di-Dio va di sopra e vuol prendere Blut. Di sotto c'è un festino. «Blut» chiama Figlio-di-Dio. «Kaptän Blut.»

Si aspetta che Blut sia già pronto. Ma Blut non esce. «Kaptän Blut» di nuovo chiama. «Che dorma?» dice.

Entra. Accende la luce.

Dov'è Blut? Guarda e non vede Kaptän Blut sul letto, lo vede in terra, più in là, chiuso in un cerchio di se stesso. «Andiamo. Sono venuto a prenderti» gli dice.

Ma Blut non si muove dal suo cerchio.

«Bau, bau» gli dice.

Ma Blut non risponde. Nemmeno Bau.

«Non vuoi più che ti porti via?» gli dice. Si china su di lui, abbassa la mano per toccarlo sulla nuca. Ma Blut schiaccia giù la testa. Non vuol essere toccato.

«Uh!» gli dice.

E Blut non dice Uh! Guaisce invece. Dal pelo che ha riccio

175

intorno agli occhi il suo sguardo si alza sgomento e umiliato, e non su Figlio-di-Dio che gli sta davanti, ma indietro da lui, come orecchie che si gettano indietro, e invoca deserto, perdizione, oscurità, qualunque inferno da cani in cui non sia quell'uomo.

Figlio-di-Dio cerca di trascinarlo. Ormai lo vuole. «Sono venuto» gli dice «a portarti via.»

Ma il cane è disperato, geme disperato, e gli si strappa dalle braccia, corre sotto il letto, e di là continua a gemere.

«Strano!» dice Figlio-di-Dio. «Ha cambiato idea!»

E che significa questo?

Blut, il cane, sa che non può più seguire Figlio-di-Dio dopo quello che ha fatto. Non potrà più essere un cane dell'uomo, amico dell'uomo.

Che significa questo? È nell'uomo Blut il cane? Non è nell'uomo? Non appartiene al mondo dell'uomo?

Io vorrei vedere gli altri: lo stesso Hitler, nelle circostanze stesse, con un Figlio-di-Dio per lui, e lui che si rendesse conto di quello che fa, e guaisse, corresse sotto un letto a gemere. O un qualunque tedesco di Hitler, un milite di Mussolini: tutti costoro che hanno fatto cose al mondo, ridendo nelle cose che facevano, in Spagna e in Russia, in Grecia, in Francia, in Sicilia, in Slovenia, in Cina, in Lombardia; e ora corressero sotto un letto a gemere. Vorrei vedere Pipino, il colonnello Giuseppe-e-Maria, il capitano Clemm. Correrebbero sotto un letto a gemere? Guairebbero?

Però non è in questo la risposta che cerchiamo. Può darsi ch'essi guaiscano. Sono cani. Può darsi che corrano a gemere sotto il letto. Noi vogliamo sapere un'altra cosa. Non se il gemito è nell'uomo. E come sia nell'uomo. Ma se è nell'uomo quello che essi fanno quando offendono.

CVI. È nell'uomo?

Noi vogliamo sapere se è nell'uomo quello che noi, di quanto essi fanno, non faremmo; e che noi diciamo di loro dal vederli, non da qualcosa che abbiamo patito noi stessi. Possiamo mai saperlo?

Anche dalla parte nostra abbiamo uomini dei quali diciamo solo dal vederli.

El Paso, per esempio. Raccontiamo di lui, ma nulla che diciamo di lui è patito in noi, già in noi, e non soltanto veduto e detto. Noi possiamo divertirci a quello che lui fa. Gracco stesso si diverte; dice di lui: «Vedrai che tipo!». Ma non può dirne nulla ch'egli abbia già dentro, come di Orazio e Metastasio, come del Foppa, come di Scipione, come di Barca Tartaro, come di ogni uomo pacifico e semplice. Nessuno di noi può dirne nulla che potrebbe dire di se stesso.

Di Enne 2, io potrei dire com'egli è in questo momento. Io prenderei da me stesso. Ma per dire di El Paso non potrei prendere da me stesso. Sarei io, ora, intorno al tavolo coi tedeschi?

Niente al mondo potrebbe farmi essere, in questo momento, coi tedeschi. E anche il Gracco. Niente al mondo potrebbe far essere il Gracco, stasera, coi tedeschi. El Paso invece è con loro. Partecipa al loro festino, brinda con loro.

«Che è questo?» dice.

«Che è? Che cosa è?» dicono i tedeschi.

«Che cosa?» egli dice. «È qualcosa questo?»

«Non è qualcosa?» dicono i tedeschi.

«Es nada» egli dice.

Dice che è niente. Che è niente il vino del Reno, niente l'aragosta della piccola cena, niente la sala con le luci, niente il gran ridere tedesco nella sala, e niente la ragazza Linda che balla nuda, le gambe più belle di Milano, sul tavolo circondato di facce tedesche.

Dice: «È niente. Es nada».

Ma alza il bicchiere, e beve. Con chi tocca il bicchiere?
Col capitano Clemm. Coi tedeschi.

«Sapete» El Paso dice «che cosa è qualcosa?»

«Che cosa?» dicono i tedeschi.

«Quello che hanno fatto, l'altrieri notte, i patrioti italiani.»

«Egli vuol dire» dice Clemm «i terroristi.»

I tedeschi ridono.

«Non c'è niente da ridere» El Paso dice. «È stato qualcosa.»

«Qualcosa lo è stato» dice Clemm.

«Possiamo ammetterlo» dicono i tedeschi.

«Vero?» El Paso dice.

Egli è in piedi, e versa in tutti i bicchieri, poi vuole che i tedeschi brindino con lui. A chi? Ai patrioti.

«Oh, questo!» uno dei capitani dice.

«Ma sì» dice Clemm. Si alza e dice: «Gliel'ho promesso. E perché no? Possiamo farlo».

Dice un altro dei capitani: «Perché no? Possiamo anche farlo».

«Possiamo anche farlo» i tedeschi dicono.

Lo fanno. «Tin» dicono i bicchieri. E i tedeschi hanno bevuto ai nostri morti, i fucilati di quel pomeriggio, Giulaj mangiato dai cani.

«Questo» dice El Paso «è qualcosa.»

Sul tavolo la ragazza Linda ha finito il suo piccolo ballo. Non vi è musica, per il momento; e non sa che cosa fare. Che cosa può fare? È salita sul tavolo ch'era ancora vestita. Ha bevuto. È saltata al collo, tra un balletto e l'altro, di questo e quell'altro ufficiale, è stata sulle gambe di questo e quell'altro ufficiale, e a poco a poco si è spogliata, e Clemm le ha attaccato di dietro, con una cintura, la coda della bestia morta.

«Es nada» ha detto El Paso. Questo era niente, nulla.

E lei si è spogliata come Giulaj si spogliava; ora è del tutto spogliata, è come Giulaj dinanzi ai cani, la musica non suona, e non c'è niente da fare.

Ma gli uomini sono in piedi, coi bicchieri loro e le grida loro. «Questo» dice El Paso-Ibarruri «è qualcosa.»

E Linda cerca di fare qualcosa, cammina sul tavolo, si china un po', a sinistra, a destra, e dà con la coda che le hanno attaccata dietro sulla faccia di questo e quell'altro ufficiale.

Gli ufficiali, naturalmente, cercano anch'essi di fare qualcosa: baciano Linda sotto la coda. È qualcosa, questo? «È niente» dice El Paso-Ibarruri. «Es nada.»

Ma Clemm, il capitano, monta sulla sua sedia.

«Un momento» dice. «Ora brindiamo ai miei cani.»

«Eh?» gli chiedono.

«Che cosa?»

«Brindiamo» egli dice «a Gudrun e Kaptän Blut. Ai miei cani.»

«Perché?» gli chiedono.

«Che hanno fatto i tuoi cani?»

«Anch'essi hanno fatto» dice Clemm «qualcosa.»

Racconta della cagna Greta uccisa, e di Gudrun e Blut che l'hanno vendicata.

Tutti alzano i bicchieri, e brindano ai cani.

«Io brindo a Hitler» dice allora El Paso.

E che cosa, dicendo questo, crede di fare? Quei tedeschi lo applaudono.

Egli sta con loro, gioca con loro, e noi dobbiamo dire che un uomo nostro è come loro. Forse potrebbe dare uno di loro ai nostri cani. Potrebbe?

Forse potrebbe. E noi possiamo anche adoperare le armi loro. Non essere semplici, voglio dire. Combattere quello che loro sono, senza più essere quello che noi siamo.

Non essere uomini? Non essere nell'uomo?

CVII. *Questo è il punto in cui sbagliamo.*

Noi presumiamo che sia nell'uomo soltanto quello che è sofferto, e che in noi è scontato. Aver fame. Questo diciamo che è nell'uomo. Aver freddo. E uscire dalla fame, lasciare indietro il freddo, respirare l'aria della terra, e averla, avere la terra, gli alberi, i fiumi, il grano, le città, vincere il lupo e guardare in faccia il mondo. Questo diciamo che è nell'uomo.

Avere Iddio disperato dentro, in noi uno spettro, e un vestito appeso dietro la porta. Anche avere dentro Iddio felice. Essere uomo e donna. Essere madre e figli. Tutto questo lo sappiamo, e possiamo dire che è in noi. Ogni cosa che è piangere la sappiamo: diciamo che è in noi. Lo stesso ogni cosa che è ridere: diciamo che è in noi. E ogni cosa che è il furore, dopo il capo chino e il piangere. Diciamo che è il gigante in noi.

Ma l'uomo può anche fare senza che vi sia nulla in lui, né patito, né scontato, né fame, né freddo, e noi diciamo che non è l'uomo.

Noi lo vediamo. È lo stesso del lupo. Egli attacca e offende. E noi diciamo: questo non è l'uomo. Egli fa con freddezza come fa il lupo. Ma toglie questo che sia l'uomo?

Noi non pensiamo che agli offesi. O uomini! O uomo!

Appena vi sia l'offesa, subito noi siamo con chi è offeso, e diciamo che è l'uomo. Sangue? Ecco l'uomo. Lagrime? Ecco l'uomo.

E chi ha offeso che cos'è?

Mai pensiamo che anche lui sia l'uomo. Che cosa può essere d'altro? Davvero il lupo?

Diciamo oggi: è il fascismo. Anzi: il nazifascismo. Ma che cosa significa che sia il fascismo? Vorrei vederlo fuori dell'uomo, il fascismo. Che cosa sarebbe? Che cosa farebbe? Potrebbe fare quello che fa se non fosse nell'uomo di poterlo fare? Vorrei vedere Hitler e i tedeschi suoi se quello che fanno non fosse nell'uomo di poterlo fare. Vorrei vederli a cercar di farlo. To-

gliere loro l'umana possibilità di farlo e poi dire loro: *Avanti,
fate. Che cosa farebbero?*

Un corno, dice mia nonna.

Può darsi che Hitler scriverebbe lo stesso quello che ha scritto, e Rosenberg lui pure; o che scriverebbero cretinerie dieci
volte peggio. Ma io vorrei vedere, se gli uomini non avessero la
possibilità di fare quello che fa Clemm, prendere e spogliare un
uomo, darlo in pasto ai cani, io vorrei vedere che cosa accadrebbe nel mondo con le cretinerie di loro.

CVIII. Vi fu una notte l'assalto dei nostri per eliminare Cane Nero. Fu alla caserma dove Cane Nero dormiva, l'organizzò e diresse Enne 2, ma lo scopo non venne raggiunto. Enne 2 vide cadere Scipione amico del Foppa e Mambrino amico di Coriolano, di nuovo fu tra gente che si perdeva, ancora seppe di non poter aiutare nessuno, non potere far nulla perché una testa si rialzasse dal proprio sangue, e un'altra volta ricominciò ad aver voglia di fare almeno basta, perdersi con chi era perduto, non dover più sapere di uomini che si perdevano. Allora il Gracco si accorse che c'era disperazione in lui.

«E perché?» egli disse.

Disse che bisognava toglierlo da una forma di lotta in cui poteva permettersi di essere disperato. Nessuno dei nostri doveva lottare con disperazione. Lo mettessero a un altro lavoro.

Ma durante l'assalto alla caserma di Cane Nero la faccia di Enne 2 era stata veduta; e il giornale pubblicò l'indomani nome e cognome di lui, con i suoi connotati, promettendo un premio di molte migliaia di lire a chi avesse fornito indicazioni per la sua cattura.

Egli era nella sua camera steso sul suo letto, quando glielo dissero.

Fumava, pensava alla sua cosa di dieci anni con Berta, e sapeva che Berta sarebbe tornata. Era sempre tornata, sempre ripartiva, poteva continuare così anche sempre, tornare, ripartire, e una volta poteva anche non ripartire più.

Tra un anno ancora?

Forse già la prossima volta, o tra dieci anni ancora, egli lo sapeva, ma era come se non lo sapesse, o come se aspettare questo che sapeva fosse troppo complicato, e gli occorresse qualcosa di più semplice. Lo stesso con gli uomini che si perdevano: avrebbero continuato a perdersi, poi avrebbero finito di esser perduti, vi sarebbe stata una liberazione, egli lo sapeva; ma era come se non lo sapesse, o come se resistere fino ad averla non fosse abbastanza semplice mentre a lui occorreva qualcosa di molto semplice, molto semplice, a tal punto semplice da poter risolvere, semplicità per semplicità, ogni sua voglia di perdersi insieme ad ognuno che si perdeva.

Fu Lorena che venne, il giornale in mano.

«Ti sei lasciato riconoscere» gli disse.

«Eh?» disse Enne 2.

CIX. Lorena gli diede il giornale, ed egli lesse quello che lo riguardava.

«E con questo?» disse.

«Non puoi più lavorare a Milano.»

«Chi ti manda a dirmelo?»

«Gracco stesso. Non possono farti partire stasera, ma domani sera ci sarà un camion che ti porterà a Torino o Genova.»

«E dovrei andar via da Milano?»

«A Torino o Genova. Qui a Milano non puoi più muoverti.»

«E dovrei andar via?» disse Enne 2. «Dicono che debbo andar via da Milano?»

Pensò Berta tornare, forse per non ripartire più; e non trovarlo. La pensò, da questo, leggere sul giornale la notizia della taglia che avevano posta sul suo capo. «Bene» disse. «E dovrei andar via domani?»

«Il camion sarà a Rho dalle cinque in poi, fuori della stazione.»

«Dovrei andare in bicicletta, a Rho?»

«Come vuoi. Ma stasera non devi dormire qui.»

«Perché no?» disse Enne 2. «Nessuno sa che abito in questa casa.»

«Possono saperlo» Lorena disse. «Qualcuno che abita qua vicino può averti riconosciuto e denunciarti.»

«Non è facile.»

«Facile o no, è meglio che tu non dorma qui.»

«Ma qui o altrove è lo stesso.»

«Non è lo stesso.»

«È lo stesso. Dormirò qui.»

«Che motivo hai di voler dormire qui? Non ne hai motivo.»

«Sono stanco, Lorena. Non è un motivo che sia stanco?»

«Sei stanco?»

«Sono stanco.»

Lorena si alzò in piedi.

«I tuoi compagni sono in pensiero per te.»

«Di' loro che non stiano in pensiero.»

«Vorrebbero che tu non dormissi qui.»

«Di' loro che qui sono sicuro.»

«C'è Barca Tartaro di sotto.»

«Ah sì?» disse Enne 2.

«Vorrebbe portarti a casa sua.»

«Digli che non occorre.»

«Non vuoi che te lo mandi di sopra?»

«Mandamelo di sopra.»

CX. Lorena uscì, Enne 2 rimase solo pensando a Berta che forse leggeva il giornale, e poi sentì Barca Tartaro che arrivava, il suo passo pesante.

«Sono io, capitano.»

Era lui, grande e grosso, e la sua voce grossa. «Lorena mi ha detto che ti fermi qui.»

«Sì, mi fermo qui.»

«Perché, capitano?»

«Perché non occorre fare diverso.»

«Qui può essere pericoloso.»

«Non più di altrove, Barca Tartaro. Perché dovrebbe essere più pericoloso di altrove?»

«Può esserlo.»

«È tutto lo stesso.»

Era tutto lo stesso? Gli uomini potevano perdersi dappertutto e dappertutto resistere. Non potevano perdersi dappertutto e dappertutto resistere?

«Peccato!» disse Barca Tartaro.

«Peccato?»

«Peccato che tu non venga da me.»

«È peccato che non venga da te?»

«Figlio-di-Dio voleva vederti.»

«Non può vedermi qui se vuole vedermi?»

«Può vederti qui?»

«Se debbo andar via può vedermi qui.»

«Te lo posso mandare?»

«Mandalo» disse Enne 2.

«Domani mattina?»

185

«Domani mattina.»

«Voleva vederti» disse Barca Tartaro «anche Orazio.»

«Mandami anche Orazio.»

«Sarebbe venuto con Metastasio.»

«Mandamelo con Metastasio.»

«Tutti i compagni» disse Barca Tartaro «volevano vederti.»

«Mandameli tutti» disse Enne 2. «Non possono vedermi qui se vogliono vedermi?»

CXI. Barca Tartaro se ne andò, e già imbruniva, Enne 2 fu di nuovo solo nella sua stanza con l'aria della terra che imbruniva intorno a lui, alta su Milano, fuori dalle due finestre senza le griglie abbassate.

Veniva la notte, e somigliava alla perdizione che era sugli uomini, spenta, muta, fatta per resistere e aspettare o lasciarsi portar via. I suoi compagni di lotta volevano venire a vederlo, e sarebbero venuti, ma sarebbero stati soltanto Figlio-di-Dio e Barca Tartaro, Orazio e Metastasio, i meno compagni ch'egli avesse tra i compagni suoi. Tanto di più suoi compagni erano i già perduti, il Foppa e Coriolano, Scipione, Mambrino, gli altri, i morti stessi ignoti d'ogni marciapiede, tutti già nella notte senza lumi accanto, e loro non potevano venire. Non potevano?

Egli non aveva potuto far nulla per loro, impedire che si perdessero, dar loro un aiuto, ed ecco che anch'essi non potevano fare qualcosa per lui. Egli aveva bisogno di qualcosa. Aveva voglia di essere anche lui già perduto, o aveva bisogno di qualcosa che fosse semplice com'era questa sua voglia, e più semplice, molto più semplice di ancora combattere e resistere, ancora aspettare. Non poteva averla da loro? Perché proprio loro non potevano venire? Davvero non potevano, o non avevano interesse di venire?

Forse era soltanto che non avevano letto il giornale.

E lo stesso era Berta. Sembrava che non fosse come loro, che potesse dargli una cosa più semplice di aspettare, e come loro sembrava che non potesse venire. Davvero non poteva? O era soltanto, come loro, che non aveva letto il giornale?

Se lo avesse letto sarebbe corsa. Egli poteva vederla: leggerlo e correre, e venire per non ripartire più, per restare con lui, andar via da Milano con lui.

Era la cosa più semplice che potesse accadere, e non accadeva. Perché non accadeva?

CXII. Accadde che tornò Lorena, e lo trovò al buio, steso sempre sul letto, guardando intorno a sé fuori dalle finestre il fumo lieve della prima luna su Milano bassa nelle sue case spente.

«Com'è che sei tornata?» egli le chiese.

«Volevo vedere se hai bisogno di nulla.»

«Vedilo. Non ho bisogno di nulla.»

«Nemmeno di mangiare?»

«Ho già mangiato.»

«Ti avevo portato qualcosa.»

«Mangialo tu o lo mangerò domani. Grazie.»

Chiese Lorena: «Sei sempre scoperto? Tu geli. Aspetta che ti tolga le scarpe e ti copra».

«Prego» disse Enne 2. «Posso farlo da me.»

«Fallo allora. Ti abbasso le griglie?»

«Grazie. Abbassale.»

Lorena abbassò le griglie, e non ritrovava la strada per tornare indietro dalle finestre.

«Accendi e siediti» Enne 2 le disse.

Lorena non accese.

«Posso stare anch'io al buio» gli disse. «Dove mi siedo?»

«C'è una sedia ai piedi del letto.»

Lorena sedette. «Ecco» disse. «Mi sono seduta.»

CXIII. «E ora che farai?» le chiese Enne 2.

«Come che farò?»

«Vuoi parlare? Io non ho molta voglia di parlare.»

«E non parlare. Dormi, se vuoi dormire. Vuoi dormire?»

«E tu mi vegli? Grazie, Lorena. Vai a casa tua.»

«Non ho nulla da fare a casa mia.»

«Vorresti star qui finché non hai altro da fare?»

«Finché non ti dispiace.»

«Non mi dispiace» disse Enne 2. «Ma è quasi ora del coprifuoco.»

«Posso star qui anche tutta la notte.»

«Oh!» disse Enne 2. «Sulla sedia tutta la notte?»

«Anche sulla sedia tutta la notte.»

«Lorena» disse Enne 2. «Tu sei in gamba, sei anche brava, sei una bella ragazza...»

«Che cosa ti piglia?»

«Lasciami parlare. Forse sei anche più diritta di ogni altra donna o uomo al mondo.»

«Lo credi?»

«Tu puoi fare sempre quello che è più semplice fare.»

«Lo spero.»

«Io pure» disse Enne 2 «vorrei fare quello che è più semplice.»

«E non puoi farlo? Se lo vuoi puoi farlo.»

«Invece no. Tu sei sulla sedia, sei venuta, ed è semplice. Non è semplice per te?»

«Certo che è semplice.»

«Se tu fossi un'altra persona sarebbe semplice per tutti e due. Potremmo avere tutti e due quello che è più semplice. E persino andar via da Milano sarebbe semplice.»

«Non è semplice andar via da Milano?»

«Per me? Per me no. Per te sarebbe semplice avere quello che vuoi, ed è semplice lo stesso non poterlo avere. Anche restar seduta tutta la notte su una sedia per te è semplice.»

«È semplicissimo.»

«Ma per me non è semplice nemmeno aspettare.»

«Perché no?»

«Non lo è, Lorena. Non posso più aspettare.»

«Non aspettare se non puoi.»

«Non aspetto, infatti. Aspetto? Non aspetto. Ti sembra ch'io stia aspettando?»

«Non so» Lorena disse. «Avevi da aspettare?»

«Non si trattava che di aspettare. Non era semplice che aspettassi?»

«Era semplice.»

«Era molto semplice. Lo stesso era resistere. Vedere un uomo perdersi, altri e altri perdersi, non poterli mai aiutare, e tuttavia non perdersi, resistere. Era semplice e l'ho fatto. Non l'ho fatto?»

«Non vi è altro da fare.»

«Non vi è altro da fare? Non vi è qualcosa di più semplice che si possa fare?»

«Per ora non vi è altro.»

«E a te basta che non vi sia altro per continuare? Puoi continuare?»

«Posso continuare.»

«Continuare anche sempre, e sempre resistere?»

CXIV. Questo forse era il punto. Che si potesse resistere come se si dovesse resistere sempre, e non dovesse esservi mai altro che resistere. Sempre che uomini potessero perdersi, e sempre vederne perdersi, sempre non poter salvare, non potere aiutare, non potere che lottare o volersi perdere. E perché lottare? Per resistere. Come se mai la perdizione ch'era sugli uomini potesse finire, e mai potesse venire una liberazione. Allora resistere poteva esser semplice. Resistere? Era per resistere. Era molto semplice.

CXV. «Dormi?» Lorena chiese.

«Non dormo» rispose Enne 2.

«Non hai dormito? Sembrava che dormissi.»

«No. Non ho dormito.»

«Non hai più detto niente.»

«Non ho più detto niente?»

«Sono ore che non dici più niente.»

«Sono passate molte ore?»

«Credo che ne siano passate molte.»

«E sei sempre sulla sedia? Sarai gelata.»

«Non lo sono.»

Enne 2 si alzò dal letto. «Lo sarai» le disse. «Mettiti tu sul letto.»

«Io no.»

«Tu sì.»

Egli la trovò nel buio, e la tirò su per un braccio, la spinse dov'era il letto.

«Non voglio» Lorena diceva.

«Ormai sei qui, e te lo prendi. Io starò sul divano.»

«Io torno sulla sedia.»

«Tu rimani lì, e io vado sul divano. Ho anche un'altra coperta.»

«Io torno sulla sedia.»

«Ma io vado sul divano.»

Egli andò e si stese sul divano, e dal divano le chiese: «Sei sul letto?».

«Sono» Lorena rispose «sulla sedia.»

«Starai sulla sedia tutta la notte?»

«Posso starci tutta la notte.»

«Potresti starci anche domani notte?»

«Potrei starci anche domani notte.»

«Anche dopo domani notte?»

«Forse anche dopo domani notte.»

«Anche tutte le notti?»

«Forse potrei e forse no. Forse mi stancherei.»

«E se non vi fosse mai altro che stare su una sedia?»

Lorena non rispose.

Passava la lunga notte, e Lorena si accese una sigaretta, anche Enne 2 se ne accese una, e si domandava che cosa d'altro si poteva volere che ci fosse. Che cosa d'altro e più semplice si poteva volere che ci fosse?

CXVI. Non c'era che resistere per resistere, o non c'era che perdersi. Non c'era sempre stata sugli uomini la perdizione? I nostri padri erano perduti. Sempre il capo chino, le scarpe rotte. O erano perduti dal principio; o resistevano per resistere, e poi lo stesso si perdevano. Perché ora sarebbe finita? Perché vi sarebbe stata una liberazione?

Ora molti resistevano per una liberazione che doveva esserci. Anche lui aveva resistito per questo, ancora per questo resisteva, era sicuro che vi sarebbe stata, ma ecco, proprio per questo, che resistere non era semplice.

Disse: «Io non andrò via da Milano».

«Non dormi?» Lorena disse.

«T'importa tanto che dorma o no? Non dormo.»

«Eri stanco. Sarebbe stato bene che dormissi.»

«Dormirò. Ne avrò tutto il tempo.»

«Sono già suonate le sei.»

«E che significa? Avrò tutto il tempo di dormire.»

«Fra poco sarà giorno.»

«Dormirò tutto il giorno. Tanto non vado via da Milano.»

«Non vai via da Milano?»

«Non vado.»

«Come, non vai?»

«Ho altro da fare, e non vado.»

«Dovrò avvertire i compagni.»

«Non puoi avvertirli?»

«Dovrò dir loro perché non vai.»

Di' loro che oggi non posso andare.»

«Andrai domani?»

«Forse nemmeno domani. Andrò una volta o l'altra, ma tu non prendermi impegni. Andrò col treno.»

CXVII. Egli, poi, la pregò di tirar su le griglie; e nell'aria di nebbia nascevano il giorno e il sole, erano di nebbia; egli li ebbe intorno, alti su Milano, e pensava come questo fosse semplice, restare a Milano.

Cominciarono a venire i suoi uomini.

«Ciao, capitano.»

«Ciao.»

Ne venne uno, ne venne un altro, ed egli fu contento che venissero, che potessero vederlo nella sua casa, entrare nella sua vita, e non occorresse più nascondere loro dove abitava. Era contento di poter avere, coi suoi stessi compagni, un po' di comune umanità, qualcosa di sempli-

192

ce come quello che può avere uno scolaro malato con i compagni di scuola venuti a trovarlo, e fu contento delle sue nuove condizioni che gli permettevano di averlo.

Questo era semplice come la voglia di perdersi con chi si perdeva. E fu con loro, parlando, davvero come uno scolaro malato con i compagni di scuola venuti a trovarlo; allo stesso modo lieto, chiedendo loro di piccole cose, ridendo, sempre più pensando come il meglio da fare fosse, anche a voler resistere, restare a Milano.

Figlio-di-Dio, venuto terzo, gli aveva portato una bottiglia di birra.

«Birra!» egli esclamò. Gli piaceva.

«Sì» Figlio-di-Dio rispose. «Birra, capitano.»

«E dove l'hai presa?»

«Nell'albergo, capitano.»

Figlio-di-Dio non era vivace. Sembrava abbattuto, sedeva sull'orlo della sedia, e presto si rialzò per andarsene.

«Non bevi la tua birra con me? Già te ne vai?»

«All'albergo c'è molto da fare.»

«Non monti dopo mezzogiorno?»

«Ma c'è molto da fare.»

«Qualcosa per aria per quei tedeschi?»

«Forse, capitano.»

Enne 2 voleva sapere di cose da fare, domandò di El Paso, disse di varii modi che pensava si avessero per togliere di mezzo Clemm e i suoi, e parlava come se lui stesso potesse prendere parte a un'azione contro di loro.

CXVIII. Orazio e Metastasio, venuti insieme per ultimo, gli portarono un pacchetto di nazionali.

«No ragazzi» egli disse loro. «Non le prendo.»

«Non le prendi?» disse Orazio.

Egli solo parlava, Metastasio non si era nemmeno seduto, e girava per la stanza guardandosi accigliato intorno, eppure sorridendo se incontrava gli occhi di Enne 2.

«Non voglio che ve ne priviate» disse Enne 2.

«Ma tu te ne vai» Orazio disse. «Vogliamo darti qualcosa per il viaggio.»

«Ne prenderò metà» disse Enne 2.

«Non puoi prenderne solo metà» Orazio disse. «Metà sono mie, e metà di Metastasio.»

«Prenderò le tue. Metastasio sente più di te la privazione del fumo, e gliele restituiamo.»

«Ma Metastasio si offenderà.»

«Non si offenderà.»

«Si offenderà» Orazio disse. E si rivolse a Metastasio: «Vero che ti offenderai, Metastasio?».

Metastasio girava per la stanza, le mani in tasca, il berretto ancora sul capo, e si fermò, dai piedi del letto, a guardare Enne 2.

Gli sorrise.

«Ti offenderai?» gli chiese, ridendo, Enne 2.

Metastasio sorrise.

«Vedi?» disse Enne 2. «Non si offende.»

«Perdio se non si offende!» Orazio disse. «È già offeso.»

«È offeso? Io non lo vedo.»

«Io lo so quando è offeso. È offeso.»

Di nuovo Enne 2 si rivolse ridendo a Metastasio. «Sei offeso, Metastasio?»

Di nuovo Metastasio sorrise.

«Ecco» disse Orazio. «È offeso.»

«Allora ne prendo due e mezza da te, e due e mezza da Metastasio.»

«Così forse va meglio.»

«Così nessuno si offende?»

«Nessuno si offende.»

Orazio e Metastasio recuperarono cinque delle loro sigarette, e sembravano contenti di averle recuperate. Se ne rimisero in tasca due per uno; e una se la divisero in due mezze; ridevano, accesero e fumavano.

«Non fumi con noi, capitano?»

Enne 2 accese, e fumò anche lui.

«Non ne avevi più nemmeno una?»

«Non ne avevo più nemmeno una.»

Orazio e Metastasio si guardarono con soddisfazione; e Orazio parlò di un viaggio che dovevano fare col camion per il loro mestiere, andare via Genova fino a Piombino.

«Partire quando?»

«Forse lunedì o forse martedì. Prima mi sposo.»

Orazio raccontò come avesse deciso di non aspettare più la fine della guerra e sposarsi subito.

«Perché aspettare ancora? Si può farlo ora stesso, e lo faccio.»

«È semplice» disse Enne 2.

Non era semplice? Era molto semplice. E la lotta? chiese. Certo avrebbe continuato con la lotta anche dopo sposato.

Si capisce che continuava. Continuava con il suo mestiere, avanti e indietro, e continuava con la lotta. Perché non avrebbe continuato?

«Si capisce» disse Enne 2.

«Si capisce» disse Orazio.

Si capiva perfettamente. Era semplice. E, rimasto solo, Enne 2 capì perfettamente come fosse semplice non andar via da Milano.

Era come la voglia di perdersi, e non era perdersi; era anzi il contrario. Era che Berta sarebbe tornata, avesse o no letto il giornale, e che lui la stava aspettando. Poteva andar via da Milano prima che Berta tornasse? Non poteva. Oggi o domani o dopo, Berta sarebbe tornata; avrebbe saputo, avesse o no letto il giornale, quello che c'era; non sarebbe più ripartita, e lui sarebbe andato via da Milano con lei.

Questo era. Ed era molto semplice. Era come il sole dell'inverno, fuori dalle finestre, alto su Milano; la stessa cosa di Orazio che si sposava.

CXIX. Il giornale, quel pomeriggio, pubblicava anche una vecchia fotografia di Enne 2; e il premio per la cattura era stato aumentato di molte altre migliaia di lire.

Il tabaccaio sull'angolo della strada dove abitava Enne 2 riconobbe nella fotografia l'uomo che veniva a prendere la sua razione di tabacco da lui.

«Cribbio!» esclamò. «Chi l'avrebbe mai pensato?»

Egli era tabaccaio, e vendeva insieme vino. Cinque uomini, in quel momento, bevevano vino al suo banco; tre dinanzi al banco, operai di ritorno dal lavoro; e due, mai visti prima, che si giocavano i loro bicchieri al biliardo automatico.

«Che cosa?» uno degli operai domandò.

«Cribbio!» disse il tabaccaio. «Non vedete qui?»

Quegli operai, a quell'ora, erano ogni giorno da lui; e porse loro il giornale, indicò loro la fotografia.

«Non lo riconoscete anche voi?»

I tre operai si guardarono.

«Noi?» dissero.

«Io no.»

«Io mai veduto.»

«E io invece sì» disse il tabaccaio. «So chi è. So dove abita.»

«Davvero?» dissero gli operai.

Pagarono e se ne andarono.

Ma si avvicinarono al banco, dal biliardino automatico, gli altri due.

«Chi è?» il primo chiese.

«Dove abita?» chiese il secondo.

«Vi sbagliate» disse il tabaccaio. «Mica io parlavo di lui.»

«No?» dissero i due.

CXX. I tre operai, sulla strada, svoltarono ognuno verso casa propria. Uno entrò, per rincasare, nella casa dove abitava Enne 2. Salì, la bicicletta in spalla, fino all'ultimo ballatoio, mise dentro la bicicletta, e disse alla moglie: «Torno subito».

Enne 2, al piano sotto, fumava; era all'ultima delle sigarette che gli avevano dato Orazio e Metastasio e sentì bussare.

«Avanti» disse.

Lo vide entrare; timido, spaventato; uno degli operai che a volte incontrava, la bicicletta in spalla, sulle scale.

«Scusatemi» disse l'operaio. «Non faccio per disturbare.»

Enne 2 voleva sollevarsi sui gomiti. «Non disturbate. Prego.»

«Ma che cosa avete? Siete malato?»

«Un po' di fiacca. Mi riposavo.»

«Forse influenza? Restate giù. Dovreste coprirvi con qualcosa.»

«Mi coprirò. È di me che cercate?»

«No, no, signore. Io non vi ho mai veduto.»

«Cercate di qualcun altro?»

«No. Non cerco niente e nessuno.»

Il piccolo operaio si guardava intorno. «Capisco» disse Enne 2. «Volete fare quattro chiacchiere.»

«Ecco. È questo» disse l'operaio. «Scusatemi la libertà che mi prendo. Non vi offendete?»

«Voi mi onorate.»

«L'onore è mio, signore.»

«Ero solo, e mi tenete compagnia. Accomodatevi.»

«Ma non posso fermarmi» disse l'operaio. E guardava Enne 2. «Ci si può fermare? Non ci si può fermare.»

«Siete in pericolo?»

«Io, signore? Io no. Solo che è meglio non fermarsi. Potete camminare?»

«È per me che parlate?»

«Per voi? Non vi ho mai veduto. Parlo per il tabaccaio.»

«Che tabaccaio? Il tabaccaio dell'angolo?»

«Precisamente. Non è solo un tabaccaio, è anche un chiacchierone.»

«Piace a tutti fare quattro chiacchiere.»

«Mica a tutti nello stesso modo. Lui le fa sul giornale.»

«Come sul giornale?»

«Piglia il giornale, e dice che lui sa *chi* è, dice che sa *dove abita*.»

«Davvero?» disse Enne 2.

Rispose allo sguardo che l'operaio gli rivolgeva. «Ma è un buon uomo» soggiunse. «Non farà male a nessuno.»

CXXI. Il tabaccaio era impallidito.

«No?» dissero i due.

«Neanche noi parliamo di lui.»

«E allora?» disse il tabaccaio.

«Parliamo di quello del quale parli.»

«Oh!» disse il tabaccaio.

Quasi rise. «Ma questo è un rebus» soggiunse.

«È un oremus?» dissero i due.

«Un rebus. Ho detto, un rebus.»

«Noi abbiamo detto, un oremus.»

«Così avete detto? E che cos'è?»

Uno dei due prese fuori un gettone per il telefono da un taschino del suo panciotto.

«Te lo mostreremo» disse. E girò dietro il banco per telefonare.

«Signore» disse il tabaccaio.

«È un rebus?» l'uomo chiese.

«No, signore. Un oremus.»

I due si appoggiarono al banco, uno da una parte, uno dall'altra, e uno aveva ora taccuino e matita in mano.

«Forza. Chi è?»

Sudore bianco copriva la faccia del tabaccaio.

Egli rispose, quasi all'orecchio di chi scriveva, e anche lui si appoggiava coi gomiti al banco.

«E abita?»

Di nuovo egli rispose, di nuovo l'altro scrisse.

«Avrò almeno un po' di premio?» disse il tabaccaio.

«Un po' di premio?»

I due scoppiarono a ridere.

«Mi tocca bene un po' di premio.»

Il più alto dei due gli schioccò un dito contro il mento, dal di sotto.

«Carino» disse.

«Non ve l'ho detto?» disse il tabaccaio. «Ve l'ho pur detto.»

«Piantala» disse l'altro. «Non sai che possiamo anche arrestare?»

CXXII. Quando l'operaio fu uscito, Enne 2 vide che imbruniva.

Aveva già veduto questo; e aveva veduto il sole sorgere, stare nella nebbia, scioglierla, stare nell'aria fredda, tutto il giorno abbracciare dal freddo cielo la sua stanza, staccarsi poi a poco a poco, e aveva pensato con lui tutto il giorno, aveva guardato in lui fino alle montagne, aveva aspettato, e ora di nuovo vedeva questo: che imbruniva.

Significava qualcosa se un tabaccaio parlava?

E se qualcuno lo ascoltava?

Se gli uomini di Cane Nero apprendevano dove trovare chi cercavano? Se anche venivano e lo catturavano?

Significava qualcosa? E che significava?

Poteva cambiare quello che lui doveva fare? Che non andasse via da Milano? Che restasse dov'era? Che aspettasse?

Egli ora aveva in questo la sua cosa più semplice da fare. Poteva, per altro che accadesse, fare diverso?

Pensò la terra e gli uomini, nell'aria senza più sole, e gli parve che fosse riposo; non più la luce; il sonno. Gli parve che avesse bisogno soltanto di riposo; si stirò le membra; erano due giorni che non si stirava; e pensò alla notte che veniva per non pensare.

Di nuovo sentì bussare. «Ciao, capitano.»

Era un'altra volta, con la sua voce grossa, Barca Tartaro.

«Ciao. Che accade?»

Barca Tartaro scuoteva la sua grossa testa tonda. «Non va, capitano.»

«Non va?»

«Non va.»

«Che cosa non va?»

«Che tu non sia andato via da Milano.»

«Ho le mie ragioni, Barca.»

«Di restar qui e farti ammazzare?»

«Di restare un altro giorno o due. Andrò con Orazio e Metastasio.»

«Ma loro vanno martedì.»

«Non posso aspettare fino a martedì?»

«Sono ancora quattro giorni fino a martedì.»

«Non posso aspettare ancora quattro giorni?»

«Non va, capitano.»

«Va sì, Barca Tartaro.»

«Va no, capitano. Se vieni a dormire da me forse va. Ma in questa casa non può andare.»

«È lo stesso, Barca. Questa casa o un'altra è lo stesso.»

«Non è lo stesso.»

«È lo stesso. Verrò da te anche, se ci tieni.»

«Andiamo allora.»

«Ora? Ora no. Verrò domani.»

«Perché non ora?»

«Ora ho voglia di riposare.»

«Puoi riposare anche da me. Sei un po' malato?»

«Forse un po' d'influenza.»

«Da me ti puoi curare.»

«Grazie, Barca. Vengo domani.»

«E se qui fosse pericoloso proprio stasera?»

«Non lo è più di ieri. Non lo è più di altrove.»

«Ho visto un camion di loro all'angolo della strada.»

«Dove c'è un tabaccaio?»

«Dove c'è un tabaccaio.»

«Ma guarda!» disse Enne 2. «Dove c'è un tabaccaio?»

CXXIII. Fu in silenzio un momento, pareva riflettere, e Barca Tartaro stava al suo fianco, grande e grosso, un po' curvo il capo, toccando con le nocche delle dita, dalle sue lunghe braccia, l'orlo del letto.

«Ma questo non può cambiar nulla» soggiunse Enne 2.

«Che dici, capitano?»

«Forse è invece un buon uomo.»

«Parli del tabaccaio?»

«Parlo di lui e di ognuno. Forse ognuno è un buon uomo.»

«Questo non è vero, capitano.»

«Non si può mai saperlo.»

«Si può saperlo. Sai, che hanno dato un uomo ai cani?»

«Hanno dato un uomo ai cani?»

«Clemm e i suoi, capitano. E Figlio-di-Dio oggi ha ucciso i cani.»

Disse Enne 2: «È morto Figlio-di-Dio?».

«Egli ha messo i due cani in ghiacciaia.»

«Li ha messi in ghiacciaia?»

«Nella ghiacciaia di Clemm» disse Barca Tartaro.

«Figlio-di-Dio è un gran burlone.»

«Anche lo spagnolo è un burlone.»

«Che ha fatto lo spagnolo?»

«Ha fatto fuori Clemm, capitano.»

«Questa è una buona cosa» disse Enne 2.

«È buona» disse Barca Tartaro.

«Ora c'è da far fuori Cane Nero.»

«Faremo fuori anche lui.»

«Li faremo fuori tutti.»

«Se resti in questa casa fanno fuori te» disse Barca Tartaro.

«Ma domani io vengo via.»

«Vieni via stasera. Se ti fanno fuori stasera?»

«Stasera debbo star qui. Non mi fanno fuori.»

«Ma se ti accadesse una disgrazia che dovremo pensare?»

«Non mi accadrà nessuna disgrazia, Barca.»

«Ma se ti accadesse? Dovremo pensare che l'hai voluta tu?»

«Io non voglio niente» disse Enne 2. «Tu non sai che cosa io possa aver da fare.»

«Non arrabbiarti, capitano.»

«Io non mi arrabbio, ma non voglio niente.»

Barca Tartaro salutò.

«Però lo spagnolo c'è rimasto» disse, andandosene.

«C'è rimasto?»

«Lo hanno preso mentr'era ancora su Clemm.»

«Ah! Lo hanno preso?»

«Anche Figlio-di-Dio hanno preso.»

«Hanno preso anche Figlio-di-Dio?»

CXXIV. Barca Tartaro se ne andò, e nella stanza non c'era quasi più luce.

«Un bel tipo!» disse Enne 2.

L'aveva voluta lui, se gli accadeva una disgrazia? Lui non voleva niente. Era, in qualche modo, irritato; era eccitato che avessero fatto fuori Clemm; teso su tutte le notizie avute, in due sensi insieme, su Clemm fatto fuori e su Figlio-di-Dio caduto, Figlio-di-Dio anche lui perduto, anche lui senza nessuno che potesse dargli aiuto; ma era soprattutto irritato. «Un bel tipo!» diceva.

Qualche cosa poteva accadergli. E si poteva dire che l'aveva voluta lui, se gli accadeva?

Figlio-di-Dio si era perduto; lo spagnolo lo stesso, persino lui; ma nessuno mai avrebbe detto che l'avevano voluto loro, se si erano perduti. Si sarebbe detto di loro quello che loro stessi avrebbero detto.

«*Es nada*» avrebbe detto lo spagnolo. E questo di lui si sarebbe detto. Che aveva detto: È nulla. *Es nada.*

Era molto semplice come si erano perduti.

E perché si sarebbe detto di lui che l'aveva voluto lui? Era perché voleva star lì anche a costo di perdersi? Anche lui si sarebbe perduto in un modo altrettanto semplice, se doveva perdersi. Essi avevano fatto fuori Clemm. E non poteva fare qualcosa di simile anche lui?

CXXV. Vedeva la notte fuori dai vetri, le griglie non erano abbassate, e sentì la porta aprirsi piano.

«Ancora?» disse. «Chi è ancora?»

«Sss» disse chi entrava. Parlava sottovoce. «Signore.»

«Lasciatemi stare.»

«No, compagno. Ci sono.»

«Ci sei? Anch'io ci sono.»

«Non parlo di me» disse l'operaio. «Devi scusarmi. Sono loro che ci sono.»

«Loro? Chi loro?»

«Loro di Cane Nero.»

«E che vogliono?»

«Vengono. Hanno circondato il quartiere.»

«Per fare che cosa? Vai a dormire, compagno.»

«Dai tetti si può scappare.»

«Allora scappa.»

«Scusami, fratello. Io parlo per te.»

«Io non ne ho bisogno.»

«Come no? Ti ho detto che vengono.»

«E che possono farmi? Vengano.»

«Fratello, tutti della casa scappano.»

«Meglio, fratello. Dormirò meglio.»

Ora Enne 2 non sapeva che cosa intendesse dire. Davvero intendeva dire che avrebbe dormito meglio?

Ognuno si perdeva. Non si era perduto anche Figlio-di-

Dio? Era stato da lui quella mattina stessa, e si era perduto. Era facile perdersi, era molto semplice.

C'era un'altra cosa semplice ch'egli voleva; che arrivasse Berta. Lo voleva di più che dormire; e di più che perdersi. Forse infinitamente di più. Era anche più semplice.

Ma Berta non arrivava. E che poteva far lui se non arrivava? Il fatto stesso che non arrivasse significava che non poteva arrivare; che non sarebbe mai arrivata, o che sarebbe sempre ripartita, come sempre; e che era inutile aspettare, inutile cercare di sfuggire, inutile cercare di sopravvivere, di non perdersi.

«Lo senti?» disse l'operaio.

Che c'era da sentire?

C'era una voce. E lui, per quella voce, avrebbe dovuto lasciare la sua stanza, scappare sui tetti, andare altrove e ricominciare?

«Viene lui stesso» disse l'operaio. «È Cane Nero.»

La voce gridava sopra la città.

«Venga lui stesso» disse Enne 2.

«Allora vuoi fare» disse l'operaio «quello che ho pensato.»

«Che cosa hai pensato?»

«Tu lo sai, se vuoi farlo.»

«E se non lo sapessi? Dillo.»

«Ammazzare Cane Nero.»

CXXVI. Disse Enne 2: «Sei furbo, compagno. L'hai capito».

«Davvero vuoi farlo? Questo vuoi fare?»

«È bene che uno lo faccia. Grazie, amico.»

«Mi dici grazie? Perché mi dici grazie?»

«Perché l'hai capito.»

«Tutti lo capiranno.»

«Lo capiranno dopo. Tu l'hai capito prima.»

«Come, prima?»

«Prima di tutti, e di me anche.»

«Di te anche?»

Forse di lui anche. Sapeva lui che voleva far questo?

«Forse di me anche.»

«In che modo di te anche?»

«Forse io non sapevo che volevo farlo.»

«Tu vuoi anche scherzare, ho capito.»

«Forse è questo, tu capisci tutto» disse Enne 2. «Ma è ora» soggiunse «che tu vada.»

«Vado» disse l'operaio.

Diceva di andare e non se ne andava.

«Ciao» Enne 2 gli disse.

«Ciao» disse l'operaio.

Ma non se ne andava. «Vorrei far qualcosa» disse. «Che cosa posso fare?»

Enne 2 gli disse di svitare e portarsi via la lampadina.

«Ecco» disse l'operaio. «Non ti occorre un'altra arma?» chiese.

«Ne ho una buona.»

«Anche questa è buona.»

«La mia mi basta.»

«Prendi anche la mia. Ne ammazzerai di più.»

Enne 2 prese la pistola che l'operaio gli porgeva. «Grazie» gli disse.

«Non ti occorre più nulla?» disse l'operaio.

«Se hai una sigaretta, dammela.»

«Non hai una sigaretta?» disse l'operaio.

CXXVII. «No» disse Enne 2. «Mi piacerebbe averne una.»

«Dio di Dio!» disse l'operaio. «Io non l'ho.»

«No? Non importa.»

«Come farai?»

«Fa lo stesso.»

«Non fa lo stesso» disse l'operaio. «Vorrei che l'avessi.»

«Non importa. Non ti preoccupare.»

«E se restassi con te?» disse l'operaio.

«A che scopo? Vai.»

«Tu resti e io vado.»

«Si capisce. Uno è abbastanza.»

«Non pensi che in due si farebbe meglio?»

«Io no.»

«Se fossi in gamba resterei.»

«A che servirebbe? Vai, amico.»

«Mi piacerebbe essere in gamba.»

«Se lo vuoi puoi esserlo. Vuoi esserlo?»

«Vorrei imparare ad esserlo.»

«Coi miei compagni puoi impararlo.»

«Dove, padre mio? Chi sono?»

«Sai tenere a mente un recapito?»

«So tenerlo a mente.»

Enne 2 diede all'operaio il recapito di Orazio. «Tienilo a mente» gli disse.

«Lo terrò a mente.»

«Digli che ti manda Enne 2.»

«Sì. Enne 2.»

«E digli che il messaggio è Naviglio 2.»

«Naviglio 2?»

«Naviglio 2.»

«Lo ricorderò» disse l'operaio. «Tu me lo consigli, padre mio?»

«È anche un buon rimedio» Enne 2 rispose.

«Che cosa è buon rimedio?»

«Essere in gamba.»

«È un buon rimedio?»

«Oltre tutto è un buon rimedio. Lo è ad ogni cosa.»

«Ah, ecco!» disse l'operaio.

«Ma ora devi andartene» gli disse Enne 2.

CXXVIII. L'operaio se ne andò, la voce di Cane Nero era davanti alla casa, c'era anche il suo scudiscio che fischiava, e l'uomo Enne 2 era sicuro di fare la cosa più semplice che potesse fare.

Faceva una cosa come la cosa che avevano fatto lo spagnolo e Figlio-di-Dio. Si perdeva, ma combatteva insieme. Non combatteva insieme? Mica c'era solo combattere e sopravvivere. C'era anche combattere e perdersi. E lui faceva questo con tanti altri che l'avevano fatto.

Non avrebbero potuto dire di lui che l'aveva voluto. Avrebbero potuto dire soltanto quello che lui aveva detto. Che essere in gamba era un buon rimedio.

Aveva in una mano la pistola dell'operaio, e prese la sua di sotto il cuscino.

«E se arriva Berta?» si chiese. «Ecco» si chiese. «Se arriva? Se arriva un minuto prima di Cane Nero?» Pensò alla via dei tetti, come avrebbe potuto condurvi Berta. «Ma non arriva» disse.

Tolse la sicura alle due pistole.

CXXIX. *Questo è l'uomo Enne 2.*

Steso sul letto, al buio, con la notte fuori dai vetri in una prima luna, le pistole in pugno, pensa ancora che Berta potrebbe arrivare, e pensa che mai potrebbe arrivare.

Io sono con lui.

Egli è stato finora come è stato; gentile anche. Ma con se stesso digrigna i denti.

«Crepa» mi dice.

Sempre è con me come con se stesso.

«Perché?» gli dico. «Non vuoi la tua infanzia?»

«Crepa. Aspetto gente.»

«Non vuoi la tua infanzia e insieme lei?»

«Ti dico che aspetto gente.»

«E non vuoi la tua infanzia? Non vuoi lei bambina nella tua infanzia?»

«Al diavolo lei bambina!» egli dice.

«Al diavolo la mia infanzia!»

«Al diavolo? Tutto al diavolo?»

«Tutto al diavolo!»

«Al diavolo anche lei che potrebbe arrivare?»

«Anche lei al diavolo! Non può arrivare.»

«E se fosse qui nella stanza?» gli dico.

«È qui?» egli dice. «È nella stanza?»

209

CXXX. *Si solleva sul letto: vede l'oscurità fuori dai vetri e su tutto il mondo; sembra, come già un morto, che possa vedere in tutta la terra e in tutti i tempi.*

«Non se ne andrà più» gli dico.

«No se ne andrà più?»

«Nulla se ne andrà più.»

Ha il suo deserto intorno; e non il suo soltanto; anche di ognuno, e anche di sabbie e pietre, Africa, Australia, America, con il grido che chiama in ogni deserto.

È d'una bestia? D'un uomo?

Forse non è che Cane Nero, e non è altro. Pure viene attraverso noi come il grido stesso delle città e della terra intera.

«Perché?» egli dice. «Che accade?»

«Nessuna cosa ora è sola.»

«Sarebbe ogni cosa anche tutto il resto?»

«Precisamente. E dov'è una cosa è anche tutto il resto.»

«Ma io ho mandato tutto al diavolo» egli dice.

Uno manda al diavolo, eppure è lo stesso; uno non manda al diavolo la stanza in cui è, il proprio deserto, e dov'è una cosa è tutto il resto. Viene l'infanzia lo stesso; viene la terra intera come fu con fiori bianchi ch'erano di capperi e sembravano farfalle; vengono, come sono alla radio, le città del mondo, Manila e Adelaide, Capetown, S. Francisco, di Cina e di Russia, non mai vedute, e Trieste un po' veduta, Ravenna un po' veduta, Teruel come veduta, e così Madrid, Oviedo, e, di più che vedute, principio e infanzia di ognuna, Ninive, Samarcanda, Babilonia.

Che altro?

Certo il papà con gli occhi azzurri.

E la madre. La nonna. «Scemo!»

Vengono i cavalli ch'erano da ferrare, idem gli uomini loro, i viandanti, i vecchi barboni, i carrettieri. Le lunghe strade con la polvere, anch'esse, e su di esse il sonno, il fieno, fossi di cica-

le: tutto quello che è stato, e vuole, con ognuno che si perde, essere ancora.

E il cielo che fu dell'aquilone?

Il cielo che fu dell'aquilone.

CXXXI. Si alza a sedere un uomo sul letto, ha con sé, nella notte, tutto questo; ed è un morto che siede nella sua tomba; medita.

«E lei bambina?» dice.

«Lei bambina.»

«Cristo» egli dice. «L'aspetto da un secolo, e mi viene ancora bambina!»

«Sss» gli dico. «Non è lei soltanto.»

«È bambina, ed anche è un'altra? Non è lei soltanto?»

«È anche un'altra» gli dico.

«Anche chi? L'inferno anche?»

«È sulle tue ginocchia» gli dico.

Egli siede, siede lei sulle sue ginocchia; e nessuna cosa del mondo è una cosa sola. Anche la notte fuori dai vetri non è una cosa sola; è tutte le notti. E Cane Nero, quando entra, è tutti i cani che sono stati, è nella Bibbia e in ogni storia antica, in Macbeth e Amleto, in Shakespeare e nel giornale d'oggi.

Ma lui di sette anni, io lo porto via. Non altro rimane, nella stanza, che un ordigno di morte: con due pistole in mano.

CXXXII. Presto nel mattino, nella nebbia chiara di sole, Orazio era su un camion, e Metastasio, dietro, era su un altro camion.

Correvano, l'uno a ruota dell'altro, tra Pavia e Milano, su una strada lungo un canale. Cantavano. Cantavano? Era il gonfio fragore dei due camion. E con Orazio era un operaio: quello che voleva diventare in gamba.

«Mi disse pure ch'è un buon rimedio.»

«Un buon rimedio?»

«Un buon rimedio. Oltretutto è un buon rimedio, disse.»

«Anche sposarsi è un buon rimedio.»

«Io sono già sposato.»

«Io mi sposo domani.»

Orazio indicò, nel dorato freddo dei campi, tra la nebbia lieve, qualcosa sopra una strada ch'erano per incrociare.

«Che c'è?»

«Quell'arnese.»

«È una motocicletta.»

«Mica una solita.»

«È una con *side-car*.»

«Si chiama *side-car*?»

«Così la chiamavano.»

«Non ne vedevo da quando ero in fasce.»

«Da un pezzo non ne usavano.»

Giunsero all'incrocio, guardarono la motocarrozzetta che veniva, nella nebbia lieve, dritto sulla loro strada, e si guardarono.

«Hai visto?»

«Ho veduto.»

Orazio suonò, in due tempi, il clacson: una lunga ferma e un punto. Di dietro rispose Metastasio: un punto, una ferma, un altro punto. E la motocarrozzetta passò dinanzi a loro, non molto più veloce di loro.

«Cavolo» disse Orazio.

L'operaio lo guardava.

«Forse è un'occasione per te» gli disse Orazio.

«Per imparare?» disse l'operaio.

«Per cominciare» disse Orazio.

Egli accelerò la marcia; e la motocarrozzetta scoppiettava dinanzi a loro: non si fece più lontana, pareva anzi farsi più vicina.

«Che ci vuole?» l'operaio chiese. «Basta il 91?»

«Basta il 91.»

CXXXIII. L'operaio si chinò, cercò sotto il sedile, poi fu col 91 in mano.

«Preparami l'altro» disse Orazio.

«Perché?» disse l'operaio. «Non li manco.»

«Lo stesso preparamelo. Mettimelo vicino.»

«Tu sollevami un po' più il vetro.»

«Si capisce» disse Orazio. «Tira prima al tedesco in sella.»

«Ma quello in carrozzetta è un mezzo generale.»

«Anche se è un generale e mezzo, tira prima a chi guida.»

L'operaio mirò. «Allora a chi guida?»

«A chi guida.»

Tirò un colpo, e subito un secondo colpo.

«Cavolo» disse Orazio. «Non lo prendi.»

Partì il terzo colpo.

«Non lo prendi.»

«Devo averlo ferito.»

«Vedi come si volta? Non l'hai ferito.»

Partirono un quarto e un quinto colpo.

«Accelerano» disse Orazio. «Cercano di scappare.»

L'operaio tirò ancora. «Porca bestia» disse.

Proiettili vennero contro la gronda del camion.

«Quel mezzo generale ci fa fuori il camion» Orazio gridò.

L'operaio finì i suoi colpi.

«L'ho preso» disse.

Non venivano più proiettili.

«Ma prendimi quello che guida» gridò Orazio. «Tira col mio.»

L'operaio sorrise. «Avevi ragione.»

Sollevò l'altra arma, e tirò, la motocarrozzetta si infilò, con tutta la sua corsa, nell'argine del canale.

«Ecco» disse l'operaio.

Oltrepassarono una macchia di sangue ch'era, larga e lucida, sull'asfalto della strada.

«Dai dentro una scarica ora che passiamo» disse Orazio.

Ma videro che la motocarrozzetta bruciava, e che i due corpi erano immobili, con fuoco di benzina sulla faccia. Non occorreva dar dentro scariche.

«Cani» disse l'operaio.

«Carogne, ormai» disse Orazio.

E guardò il compagno.

«Mica è andata male.»

«No? Non è andata male?»

CXXXIV. Orazio si attaccò al clacson, mandò su ululati uno dietro l'altro.

«Non risponde» disse l'operaio.

«Cavolo» disse Orazio. «Si è fermato.»

«No. È molto indietro, ma viene.»

«Chiama.»

«Chiama?»

Distinsero ululati brevi e ululati lunghi. «Torniamo.»

Ripassarono davanti alla motocarrozzetta, e raggiungero Metastasio. Mentre erano al suo fianco, girando di nuovo, Metastasio fece loro un segno.

«Viene un'altra moto» disse l'operaio.

«Cavolo» disse Orazio. «Con *side-car*?»

«No, semplice.»

«Pure di loro?»

«Pure di loro.»

L'operaio riprese in mano l'arma.

«Non lo mancherai?»

«Non lo mancherò.»

«Se vuoi, ti do il volante e ci penso io.»

«Perché? Io debbo imparare.»

La moto li sorpassò, e subito corse fuori strada, l'uomo saltò indietro, le braccia larghe, il casco sbalzato via.

«Bravo! Di bene in meglio!» disse Orazio.

«Imparo bene?» disse l'operaio.

Di dietro Metastasio mandava su ululati di festa, come prima Orazio.

«Non fa nemmeno effetto» l'operaio soggiunse «così mentre corrono.»

215

E rispose Orazio a Metastasio, allo stesso modo; corsero lungo il canale fino a un incrocio; svoltarono fuori dall'asfalto sulla massicciata della secondaria.

«Andiamo a prendere la strada che viene da Como» disse Orazio.

Fermò il motore. Dietro si fermò anche Metastasio, e scesero tutti sulla strada, vuota, ignuda attraverso la campagna coperta di freddo che il sole, tra la nebbia lieve, inumidiva d'oro.

«Sss» disse Orazio.

Avevano le bocche che fumavano. Ascoltarono.

«Niente» disse l'operaio.

Non si sentiva nessun suono; né di macchine che si avvicinassero, né di passi; e risalirono.

CXXXV. A un nuovo incrocio, c'era una bettola.

«Guarda!» disse l'operaio.

Indicò una moto, targata Wh, ferma, ma a motore acceso, nella solitudine davanti alla casa.

«È la Wehrmacht?» disse.

«Wehrmacht» Orazio rispose.

E frenò, si fermarono.

«Vado» disse l'operaio.

«Vai?»

«Voglio imparare fino in fondo.»

«Vuoi imparare forse un po' troppo.»

«È che mi piace.»

«Vai allora.»

L'operaio prese, di sotto il sedile, una pistola.

«Attento che stavolta è faccia a faccia.»

«È questo che voglio imparare.»

L'operaio scese.

«Andiamo fin sotto il ponte della ferrovia. Raggiungici là con la moto.»

Venne un breve squillo di clacson, interrogativo, da Metastasio. Entrambi i camion ripartirono. L'operaio entrò nella casa.

«Un grappino?»

«Niente grappino.»

Era una vecchia dietro il banco.

«Che cosa di caldo?»

«Niente di caldo.»

«Neanche se aspetto?»

«Se aspettate sì. Caffè di cicoria.»

«Aspetterò. Ci vuole molto?»

«La macchina deve scaldarsi. L'ho accesa ora.»

Egli sedette a un tavolino di ferro, guardò e vide il tedesco, nell'angolo presso la porta, seduto anche lui che aspettava.

Gli strizzò l'occhio.

«Eh?» il tedesco chiese.

Era non più un ragazzo, col nastrino, al petto, di una campagna, non di una decorazione. E la sua voce fu molto timida. «Eh?» chiese.

L'operaio voltò via il suo muso piccolo da lui.

Dio di Dio! pensò. Che aveva un tedesco da essere triste in quel modo?

CXXXVI. Sedeva, le gambe larghe, la schiena appoggiata alla spalliera della sedia, la testa un po' indietro, e la faccia triste, persa, una stanca faccia di operaio.

Dio di Dio! O non aveva conquistato? Non era in terra conquistata? Che cosa aveva da essere così triste, un tedesco che aveva conquistato?

Tornò a guardarlo, e vide che quello non lo guardava. Aveva gli occhi più in basso, come umiliato. Un momento si osservò le mani; da una parte, dall'altra, entrambe insieme, e fu un gesto lungo come ne fanno solo gli operai.

Dio di Dio! egli pensò di nuovo.

Lo vide non nell'uniforme, ma come poteva essere stato: indosso panni di lavoro umano, sul capo un berretto da miniera.

«Sarà zuccherato o no?» chiese alla vecchia.

«Zuccherato? Che zuccherato?»

«Allora non lo voglio.»

Si rialzò, una mano in tasca, e si avvicinò alla porta. L'aprì.

Il tedesco sollevò il capo e, mestamente, gli sorrise; anche dolcemente. Pareva di vedere sulla sua faccia che cosa fosse lo sporco di carbone.

Egli uscì.

Dio di Dio! Pensava. Prese la moto e ne spinse a fondo la pressione. Nessuno accorse dalla casa, e fuggì sulla moto. Nessuno sparò dietro a lui.

«Sei pallidino» gli disse Orazio.

«È stata la corsa.»

«La corsa?»

Scaraventarono la moto nel fosso, ne aprirono il serbatoio e diedero fuoco alla benzina.

«Questo è tutto» disse l'operaio. «Una moto di meno.»

«Non l'hai fatto fuori?»

«Era troppo triste.»

Orazio gridò a Metastasio.

«Non l'ha fatto fuori» gli gridò. «Dice che era un tipo troppo triste.»

Metastasio si strinse nelle spalle.

218

«Sembrava un operaio» disse l'operaio.

«E chi ti dice niente?» Orazio disse.

Risalirono e ripartirono.

«Sono stato soldato anch'io» disse l'operaio.

«Nessuno ti dice niente.»

«Mi hanno mandato in Russia.»

«Ma chi ti dice niente?»

Si avvicinavano a Milano. C'erano terrapieni di ferrovia, cartelli pubblicitari d'altri tempi, sottopassaggi, incroci di strade, e sempre il freddo sulla pianura, la nebbia lieve.

«Imparerò meglio» disse l'operaio.

Indice

Elio Vittorini

«Uomini e no»
di Elio Vittorini
Oscar classici moderni
Arnoldo Mondadori Editore

Questo volume è stato stampato
presso ELCOGRAF S.p.A.
Stabilimento - Cles (TN)
Stampato in Italia. Printed in Italy